Zu diesem Buch

Österreich – was ist das? Ein glückliches Land zwischen Neusiedler See und Bodensee? Sehnsuchtsziel der meisten deutschen Auslandstouristen? Eine idyllische Republik zwischen West und Ost? Der blutsverwandte Nachbar der Bundesrepublik mit 784 Kilometer gemeinsamer Grenze? Das Geburtsland Adolf Hitlers? Aber auch von Mozart und vom Handkuß. Wo also, habe die Ehre, finden wir sein Wesen? In den Köpfen seiner Dichter. Einunddreißig österreichische Autoren schreiben über Österreich, die faszinierende Besichtigung eines Landes – teils liebevoll, teils kritisch und oft mit Witz. Allen gemeinsam jedoch ist, daß sie «unheilbare Österreicher» sind, wie Hans Weigel es formuliert, ist ihre Anhänglichkeit an das Land, in dem sie leben oder lebten, das ihre Heimat ist. Rückhaltlose Liebeserklärungen – typisch österreichisch.

Jochen Jung, geboren 1942 in Frankfurt am Main, studierte Germanistik und Kunstgeschichte mit abschließender Promotion. Seit 1975 arbeitet er als Verlagslektor in Salzburg. Er ist auch Herausgeber der Anthologie «Märchen, Sagen und Abenteuergeschichten auf alten Bilderbogen, neu erzählt von Autoren unserer Zeit» (1974).

Glückliches Österreich

Literarische Besichtigung
eines Vaterlands

Herausgegeben von
Jochen Jung

Rowohlt

Veröffentlicht im Rowohlt Taschenbuch Verlag GmbH,
Reinbek bei Hamburg, September 1980
Copyright © 1978 by Residenz Verlag, Salzburg und Wien
Umschlagentwurf Werner Rebhuhn
Satz Bembo (Linotron 404)
Gesamtherstellung Clausen & Bosse, Leck
Printed in Germany
480–ISBN 3 499 14602 9

Mit Beiträgen von

Friedrich Achleitner

Ilse Aichinger

Gerhard Amanshauser

H. C. Artmann

Rudolf Bayr

Alois Brandstetter

Helmut Eisendle

Gustav Ernst

Gunter Falk

Erich Fried

Barbara Frischmuth

Gertrud Fussenegger

Reinhard P. Gruber

Bernhard Hüttenegger

Franz Innerhofer

Gert Jonke

Alfred Kolleritsch

Otto Kreiner

Friederike Mayröcker

Christine Nöstlinger

Ernst Nowak

Andreas Okopenko

Wilhelm Pevny

Peter Rosei

Gerhard Rühm

Jutta Schutting

Hilde Spiel

Peter Turrini

Hans Weigel

Gernot Wolfgruber

Helmut Zenker

herausgegeben von Jochen Jung

Es ist die Literatur, die das Bild eines Landes bestimmt, gerade indem sie allen fertigen Bildern mit Hartnäckigkeit und sanfter Gewalt widerspricht; sie verhindert das traurige Wort Ende über dem Bild von einem Land; wie sie zeigt, daß kein Mensch schon ein Bild von einem Menschen ist, so zeigt sie zugleich, daß ein Land, das sich selber als Bild von einem Land will, kein Raum für lebende Menschen ist.

Peter Handke

Vorwort

«Tu felix Austria» – gewiß, die Zeiten, in denen Österreich noch auf allen Hochzeiten tanzte (oder wenigstens tanzen ließ), sind vorüber. Was in den vergangenen Jahrhunderten noch ein Reich gewesen war, wurde in diesem zu einem Staat, der sich zunächst nur schwer daran gewöhnen wollte, sich nicht als ein Rest-Gebilde zu verstehen. Wenn sich aber auch, was die nationalen Belange angeht, heute die historischen Erfahrungen der älteren einer gewissen Gleichgültigkeit der jüngeren Generation gegenübersehen, so ist doch an einem kaum zu zweifeln: Das Selbstbewußtsein des Staates Österreich ist – trotz aller Reminiszenzen – gefestigt.

Was jedoch die einen Vaterland nennen und andere Heimat, ist für viele einfach das Zuhause, der Ort, an dem man lebt. Davon, ob man in diesem Zuhause sich auch zu Hause fühlen kann, ist in diesem Buch nicht zuletzt die Rede.

Gefragt war, bewußt unscharf, nach Österreich und dem persönlichen Verhältnis zu diesem Land, und es war freigestellt, ob von Erinnerungen, Zuständen oder Wünschen und Hoffnungen die Rede sein sollte. Die hier antworten, sind allesamt Österreicher, und sie sind – das sei betont – alle Schriftsteller. Der Schriftsteller aber, wie jeder Künstler, steht – jedenfalls solange, wie man an der Fiktion von einem ‹normalen› Bürger festhalten will – immer eher am Rande der Gesellschaft. Er wird – als ‹Möglichkeitsmensch› – gegenüber seinem Staat, der von sich aus stets zur Affirmation des Bestehenden neigt, eher Opponent, jedenfalls Kritiker sein. Wer sich selbst und seine Umgebung immer wieder in Frage stellt, wird das mit seinem Staat nicht anders halten, und das ist gut so.

Die Form der Beiträge war ebenfalls den Autoren selbst überlassen. So haben einige mit Geschichten aus, andere mit Texten über Österreich geantwortet. Sicher scheint, daß etwa schweizerische oder deutsche Autoren auf die gestellte Frage, bezogen auf ihr Land, wohl anders reagiert hätten als die österreichischen: Letztere sind vielleicht, vorsichtig gesagt, ein wenig verzweifelter und daher auch ein wenig lustiger als jene. Wer dieses Buch gelesen hat, wird spüren, was damit gemeint ist.

Jochen Jung

Friedrich Achleitner

Beschreibung einer Spezies

rund ein drittel aller sind brutschmarotzer
sie werden auch als kuckucksspringer bezeic
hnet ihre sammelapparate sind reduziert sie
bauen weder nester noch sammeln sie nahrung
für ihre brut sie legen ihre eier vielmehr
in fertig mit nahrung versorgte zellen sie
kommen ohne sprungwerkzeuge zur welt tragen
diese aber dann später fast ständig die be
nachrichtigung über futterquellen geschieht
auf verschiedene weise im sprunggerätlosen
zustand alarmiert der entdecker einer reich
en futterquelle seine nestgenossen durch da
s deutliche ausstossen eines jodeltones im
sprunggerätbenützenden zustande jedoch durc
h das ausfliegen was immer das abgehen von
grösseren schwärmen zur folge hat unter der
führung des alarmfliegers zieht der schwarm
dann zur futterquelle weitaus komplizierter
und exakter ist die nachrichtenübermittlung
bei den gleitarten sie geschieht durch eine
tanzsprache die bei den riesen-und zwerggle
itern noch recht unvollkommen ist während
sie bei den normalkuckucksgleitern zu höchs
ter vollkommenheit entwickelt wurde man un
terscheidet den rundtanz der auskunft über
trachtquellen in einem umkreis von mehreren
pisten gibt und den schwänzeltanz der beson

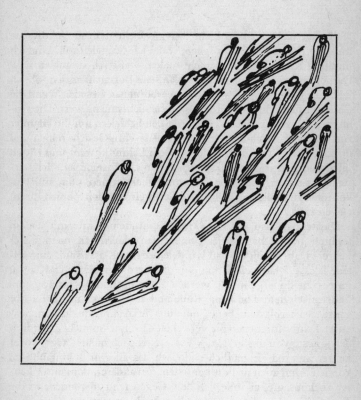

Ilse Aichinger

Zum Gegenstand

Ich bringe nicht gern ans Licht, was ans Licht gebracht gehört. Ich muß die Karlskirche nicht sehen, wenn ich sie malen soll. Und ich muß die Karlskirche auch nicht malen, wenn ich sie malen will. Da könnte ich ja ebensogut die spanische Botschaft malen, ob ich will oder nicht. Das alles hat seine verborgenen Gesetze. Wenn die Gesetze offensichtlich werden, sind sie nichts mehr wert. Die spanischen Botschaftsfrauen gehen mit den Schleiern um die Häupter zur Kirche. Soll ich da jeder den Schleier vom Gesicht reißen und ihr sagen: «Ich will dich malen»? Mein Lehrer kommt und rüttelt mich und sagt: «Wenden Sie sich Ihrem Gegenstand zu.» Ich verstehe ihn schon, aber er könnte mir nahekommen, ohne mir beikommen zu wollen. Was soll das Gerüttel? Wenden Sie sich Ihrem Gegenstand zu.

Da steht sie also, die Karlskirche, und mein Lehrer mit seinem leichten grauen Bart ist jetzt hinter den andern her, mein armer Lehrer. Dabei heißt es, daß wir eine begabte Klasse sind, eine seltene Klasse. Man weiß schon, wie das mit diesen begabten Klassen immer zu Ende geht. Sie werden aufsässig und hochmütig und finden nach dem Tod keine Ruhe und vorher auch nicht. Es gibt ganze Geisterklassen. Senca quietute. Ich kann mir denken, was unser Lehrer fürchtet. «Sie verstehen das ohnehin nicht», hat ihm der Jüngste von uns gesagt. «Was verstehe ich nicht?» sagte unser Lehrer zitternd. Eigentlich sollte ich das alles nicht mitanhören können. Und auch nicht mitansehen. Ein anderer, dem unser Lehrer vorhin sagte, er solle sich dem Gegenstand zuwenden, ist die Treppe hinaufgestiegen und preßt seine Nase jetzt am Kirchentor platt. Seine Stifte rollen die Treppe hinunter. Wir sind erst beim Skizzieren. Wieder ein anderer war unlängst in Siena und hat sich dort die Pferderennen angesehen, er brachte keine Skizze mit. Und was sieht er jetzt, dem Gegenstand zugewandt, von seinem Gegenstand? Ich wette, er hat die Augen geschlossen. Ein dritter steht in der rechten Entfernung, zeichnet, bessert aus, betrachtet immer wieder, was unser Lehrer unseren Gegenstand nennt, aber was er zeichnet, ist das Grab des vorletzten Statthalters von Bosnien und der Herzegowina, seiner Frau und Nichte. Er hat noch nie etwas anderes skizziert, er kennt seinen Gegenstand. Einmal wollte unser Lehrer ihm zuliebe die ganze Klasse zu diesem etwas entlegenen Grab mitnehmen. Zwanzig Minuten Straßenbahnfahrt, selbst bei fließendem Verkehr. Und das Grab auch erst nach einer längeren Reihe von Gräbern zu erreichen. Unser Lehrer hätte es darauf ankommen lassen. Aber der Vertraute des Grabes versuchte sich auf die Ankündigung der gemeinsamen Fahrt hin mit zwei Pistolen zu erschießen. Der eine Schuß sollte durch die linke Schläfe, der andere durchs Herz gehen. Beide mißlangen, und er erholte sich rasch. So kamen wir auf die Karlskirche. Niemand könnte sie gebannter betrachten als der Grabzeichner. Sein hellbraunes Haar weht rings um den vernarbten Schläfeneinschuß im Vorfrühlingswind. Unser Lehrer läßt es wehen und macht einen Bogen um ihn. Auch den, der Siena nicht zu zeichnen versuchte, läßt er in Ruhe. Das wäre nicht das Ärgste, Siena hat nie zu uns gehört. Rasumofsky mit der Brille zeichnet seine Cousinen, aber auf Cousinen läßt sich wenig gründen, selbst wenn man sie aus dem Stein schlägt.

Ich muß lachen über unsere Klasse. Manchmal versuche ich mir vorzustellen, wie die Nichte des Statthalters aussah, manchmal sehe ich sie, wie sie mit Onkel und Tante den Balkan verließ. Ernste Fragen, ernste Antworten, ein höfliches Lächeln, das sich verstärkte, wenn sie in Nervosität geriet. Ich muß vor niemandem Angst haben, dachte sie vielleicht öfter, ehe sie ihren Verwandten rasch vorausstarb. Davor noch zwei oder drei hauswirtschaftliche Jahre, wie sie Mädchen brauchen, frischere, aber gekünstelte Antworten, Tanzvergnügen. Ich muß vor niemandem Angst haben. Das ist ein guter Gedanke, wenn auch für den, der Angst hat, nicht vollziehbar. Aber wer sagt denn, daß Gedanken vollziehbar sein müssen? Im Gegenteil, fast im Gegenteil.

Da rollen die Stifte über die Kirchentreppen. Der sie rollen läßt, muß eine Menge mithaben. Kann nicht schaden, dachte er vermutlich, ehe er ging. Unten, wo die Bleistifte landen, steht ein Eifriger. Man sollte nicht sagen, daß es die bei uns nicht gibt, die echten Eifrigen, die alles gut machen wollen, aber sie sind unauffällig. Und die falschen Eifrigen, die es besser als die übrigen verstehen, sich zu tarnen. Die roten Flecken, die ihre Wangen hinaufspringen, wenn der Lehrer sich nähert, verblassen, wenn er bei ihnen angelangt ist. Sie werden spitzfindig oder stumm, wenn er sie verbessert. Dann noch die Unterwürfigen. Sie sind eine klassische Kategorie, ein nicht zu übersehender Teil, gerade bei uns. Sie bilden die Schwerpunkte mit einer Genauigkeit, die ihnen nur Gott im Himmel eingegeben haben kann, sie sind in einem Grad devot, der sie samt der Karlskirche vermutlich eines Tages verschwinden läßt. Und es wird dann nicht einmal sicher sein, daß sie das nicht bis zu einem gewissen Grad gewünscht haben. Bleiben noch die Streuner, die den besten Platz nicht finden, die allen über die Schultern schauen und bei denen von Unterwürfigkeit nichts zu merken ist. Sie werfen rasch, was eben verlangt ist, aufs Blatt, bessern es rasch aus, geben es rasch ab und gehen. Je weiter sie sich entfernen, desto langsamer werden sie, treffen einen der Ihren, bleiben stehen, wechseln einige Worte mit ihm, halten vor einem Laden mit Badeöfen und größeren Elektroartikeln an und gehen wieder. Und je weniger man sie noch erkennt, desto mehr gewinnt man den Eindruck, daß man gerade sie nur langsam aus dem Blick verlieren wird. Man wird ihre Vornamen vergessen oder verwechseln, die verschiedenen Richtungen, in denen sie gingen, ihre Skizzen werden schneller als die der anderen verlorengehen. Aber der eine oder andere von ihnen wird noch sehr viel später auf der wohlaufbewahrten Skizze eines ganz anderen, eines Gründlichen, eines Nichtstreuners zu sehen sein, als ein Strich oder zwei, um die mächtigen Säulen des eigentlichen Gegenstandes ins rechte Verhältnis zu setzen, am Rande des Bildes, aber im Bild. Sie werden am ehesten ins Bild geraten.

Wenn ich jeden einzelnen betrachte, frage ich mich: Wie werden sie es fertigbringen, erhoben, eingeholt, zu Fall gebracht, geehelicht, geschmeichelt, gehechelt, für sich gelassen, zermürbt, eingeklemmt, zerschmettert zu werden? Oder nicht fertigbringen? Auch das Ungelungene ist als Ziel zu denken, es ist als solches nur noch schwerer zu erreichen. Wem es ins Zielfeld gerät, der setzt sich aus. Man muß ihn lassen. Vielleicht vorsichtig aus der Ferne betrachten. Und noch vorsichtiger den Blick von ihm wenden. Dem Gegenstand zu. So nennt es auch unser Lehrer. Ist es das, was er so nennt? Ist so definiert, was gemeint ist? Immer ein Zweites und das Zweite immer als ein Letztes? Dem nicht mehr nachschauen, dem man nachschaute. Aber wer von uns ist das? Wer kommt so aus dem Blick?

Der Grabzeichner mit dem Schläfeneinschuß hat die besten Möglichkeiten. Er hat seinem Kopf und seinem Herzen schon bewiesen, daß er sie nicht nötig hat. Dann können es nur sein Kopf und sein Herz sein, die ihn nötig haben: Den Selbstmord nicht fertiggebracht, die Skizze der Karlskirche zur halben Abstraktion eines fremden Grabes, und es ist anzunehmen, daß er auch die Skizze des Statthaltergrabes nicht fertigbringen wird. Der Statthalter ist mit den Seinen als Relief auf dem weißgrauen Stein zu sehen. Wie bringt man ihn in die Fläche? Das wird nicht leicht sein. Statistisch betrachtet, gibt es bei uns nicht viele Gräber mit derartigen Reliefs. Aber unser Freund hält sich nicht an die Statistik. Er wird von uns weggehen, von unseren geschichtlichen und geographischen Landkarten, vom Zeichenlehrer, von der Technik, von der Karlskirche. Die Universitäten werden ihm nichts anhaben. Er weiß, wo er hingehört. Er wird in seinen hellen Mantel schlüpfen und zu den Friedhöfen fahren. Er ist der glücklichste von uns, glücklicher als der, der Siena und die Pferde nicht malte, glücklicher als diejenigen von uns, die später in die höhere Beamtenlaufbahn, nach Mexiko oder in die Politik wollen. Er kennt sein Spiel.

Gerhard Amanshauser

Über Nationalgefühl im allgemeinen und österreichisches Nationalgefühl im besonderen

Wer bezweifelt, daß sich jeder, mehr oder weniger, in seinen Eigenheiten sonnt? Zunächst in seinen persönlichen Marotten, unter denen Fehler und Laster ausgezeichnete Ränge erhalten; dann in den Eigenheiten seiner unmittelbaren Umgebung, seiner Wohnung, seiner Stadt, wo sich Menschen und Plätze befinden, die er gerne herzeigt, um zu demonstrieren, wie sich sein Wesen auf schmeichelhafte Weise in ihnen spiegelt; und schließlich in den Traditionen seiner größeren nationalen Umgebung, die gegen «Fremde» oder «Barbaren» ausgespielt werden können, gegen Leute also, die sich nicht auf die Nuancen der eigenen Gewohnheiten, des eigenen Benehmens und der eigenen Redensarten verstehen.

Je weniger es einem gelingt, seine unmittelbare Umgebung und seine täglichen Verrichtungen zu beleben und interessant zu machen, desto mehr wird er sich auf einen allgemeineren Horizont berufen, zum Beispiel auf ein Vaterland, mit dessen imposanten Zügen sich auch der schwächste Einwohner ausstaffieren kann.

So kann man sich etwa vorstellen, wie sich der eine mit verschiedenen Frauen, sogar mit ausländischen, unterhält, während der andere, der dafür kein Talent hat, vielleicht ein Volkslied anstimmt, in dem die Treue der einheimischen Frauen gerühmt wird.

Vielleicht kann man sagen, daß jeder, der sich dazu veranlaßt fühlt, seine Nationalität in auffallender Weise zu betonen, der also Worte, Gesten oder Trachten dort, wo sie nicht üblich sind, zur Schau stellt, dafür einen Grund haben muß, der mit seiner Nationalität eigentlich nichts zu tun hat. Umgekehrt wird man aber bemerken, daß jeder interessante Mensch, wie jeder delikate Pilz oder jeder gute Wein, sozusagen ein Lokalkolorit hat, das die eigentliche Würze seines Daseins ausmacht. Ein Mensch, der zum Beispiel ein absolut akzentfreies Deutsch spräche, käme uns vor wie ein Radiosprecher, der Texte rezitiert, die andere verfaßt haben. Die lokale Färbung darf offenbar, wenn sie als eindrucksvoll oder angenehm empfunden werden soll, nicht hervorgekehrt oder plakatiert werden. Sie muß, gleichsam unbewußt, aus dem Hintergrund wirken, muß Gesten beleben, die spontan und weltoffen sind.

Da die Mehrheit der Menschen untalentiert ist (auf diesem Umstand beruht die Bedeutung von Talenten), spielt das plakatierte Nationalgefühl überall dort, wo größere Gruppen dominieren, eine viel vitalere Rolle, als man heute allgemein zugibt.

Als die europäischen Eliten, die Aristokraten, Kleriker und Gelehrten, die in lateinischer oder französischer Sprache miteinander verkehren konnten, nach der Französischen Revolution ihre Vorherrschaft einbüßten, gewann das Nationale, verbunden mit Mehrheiten verschiedener Art, an Macht. Dadurch erhielten die Demagogen beträchtlichen Auftrieb.

In ihrem zersplitterten Reich gelang es den Deutschen zunächst nicht, dem Nationalgefühl entsprechenden Ausdruck zu verleihen. Weder schufen sie sich ein urbanes Zentrum, das den bürgerlichen Geist repräsentiert hätte, noch schlugen sie, zur Befriedigung der Menge, einem König den Kopf ab.

Das deutsche Nationalgefühl wurde ins Reich der Phantasie verschlagen und erzeugte dort verschiedenartige Neurosen. Infolge der anhaltenden politischen Frustration wurden die teutonischen Phantasien immer giftiger.

Als man dann später darangieng, «Reiche» zu gründen, verbreitete sich der Teutonismus wie eine Seuche und kam schließlich zu tödlicher Wirkung.

Gegen Ende des 19. Jahrhunderts, als die österreich-ungarische Monarchie zu wanken begann, wurde, im Zustand der Schwäche, auch sie von der Seuche des Teutonismus erfaßt. Und hier, auf österreichischem Boden, wurde das Gift mit allen Zerfalls- und Faulstoffen der sich zersetzenden katholischen Monarchie angereichert und sozusagen scharfgemacht. Der Diktator wurde schließlich in Österreich ausgebrütet.

Nach dem Untergang der Monarchie fühlten sich die deutschsprechenden Österreicher so elend und schwach, daß selbst die Austromarxisten das Bedürfnis empfanden, Deutsche zu sein oder zu werden, sich also zur Mehrheit derer zu schlagen, die sich auf die Wacht am Rhein, auf die Götterdämmerung und auf das Götzzitat verstanden.

Was den Deutschen wenigstens halbwegs adäquat war, wirkte jedoch an den Österreichern schwindelhaft und theatralisch. Ihr Deutschtum hatte sozusagen einen Hautgout.

Ich kann mich erinnern, daß ich in der Schule zur Zeit des «Austrofaschismus» den Satz auswendig lernen mußte: «Wir Österreicher sind Deutsche», ein Ausspruch also in Form eines Paradoxons. Wenn jemand Deutscher ist, warum sollte er diesen Umstand in einem eigenen Merksatz betonen? Das ist, als würde ich mir einen Knoten ins Taschentuch machen und jedesmal beim Schneuzen denken: Aha, richtig, ich bin Deutscher.

Der Hautgout oder Stich, den das Deutschtum der Österreicher hatte, die theatralischen und hysterischen Züge, die sich aus einer forcierten Haltung ergaben, zeigten sich in exemplarischer Form an Hitler. Und die Deutschen, die für österreichischen Charme empfänglich sind, ließen sich auch von einem vorgespielten Germanentum bezaubern, das die Schrecken eines österreichischen Grand Guignol in die politische Realität übersetzte.

Unter toleranten Leuten hört man manchmal die Ansicht, die Österreicher seien deutschsprechende Österreicher und keine Deutsche, so wie die deutschsprechenden Schweizer eben Schweizer seien und keine Deutsche. Das klingt sehr plausibel.

Aber die deutschsprechenden Schweizer sind auch im Verlauf ihrer Geschichte niemals auf den Gedanken gekommen, Deutsche zu sein; die Mehrheit der Österreicher dagegen hat sich 1938 unter öffentlichem Jubel zu Deutschland geschlagen.

Nun könnte man sagen: Irren ist menschlich. Dann muß man aber den Irrtum widerrufen, denn Widerrufen ist auch menschlich. Wo aber sind, zum Beispiel unter denen, die sich besonders geirrt hatten und nachher wieder zu leitenden Stellen aufgestiegen sind, diese Widerrufer? Und wo sind jene, die einen Widerruf forderten?

Ich stelle mir vor, wie einer der Lehrer, der mir einst den Teutonismus und den Antisemitismus gepredigt hatte, auf der Straße plötzlich auf mich zukäme und zu mir sagte: «Entschuldigen Sie, ich habe mich damals geirrt.»

Diese Vorstellung wirkt auf mich als Groteske.

Viel eher würde er, wenn er diese Zeilen läse, den Versuch machen, mich zu diskreditieren und könnte dabei auf öffentlichen Beifall rechnen.

Die Leute, die sich geirrt hatten, mußten nicht nur nicht widerrufen, sondern ihr Irrtum erschien bald als respektable Leistung. Man behandelte sie als verdienstvolle Veteranen.

Nachdem die Besatzungsmacht abgezogen war, kamen sie aus ihren Löchern hervor, schüttelten sich die Steifheit aus den Gliedern, wurden weltläufig und salonfähig, trugen ihre Trachten zu den Empfängen, rückten in Ehrenstellen und politische Posten nach.

Auch das war eine Form von Vergangenheitsbewältigung.

Wird ein historisches Ereignis, wenn man es nur lang genug ignoriert, allein durch die Zeit, die dazwischentritt, ausgelöscht?

Umfragen beweisen, so sagt man uns, daß sich die Mehrheit der Österreicher heute ebenso selbstverständlich als Österreicher fühlt wie die Schweizer als Schweizer.

Das sind aber Umfragen mit Papier und Bleistift. Warten wir lieber die hochnotpeinliche Befragung ab, die von der kommenden Geschichte veranstaltet wird.

Nationalismus hängt mit imposanter Selbstdarstellung zusammen, und daraus folgt, daß nur Schriftsteller, die nicht recht schreiben können, die nationale Note besonders hervorkehren, weil sie etwas Eindrucksvolles brauchen, das ihrer stilistischen Schwäche zu Hilfe kommt.

Manche stilistisch begabte österreichische Schriftsteller haben es in nationaler Hinsicht leichter als die übrigen Bürger. Sie können Gestalten der Monarchie, die für alle anderen längst verloren sind, als Gespenster heraufbeschwören und mit der Realität konfrontieren. Dabei ergibt sich eine Art Galgenhumor.

Ein italienischer Germanist namens Claudio Magris hat österreichischen Schriftstellern den Vorwurf gemacht, sie litten an einem Monarchie-Komplex. Er meinte, sie sollen ihre Aufmerksamkeit lieber einer republikanisch-fortschrittlichen Zukunft schenken. Es gibt aber Länder, die weit mehr Vergangenheit als Zukunft haben, und im übrigen sind Komplexe bei Künstlern meist viel ergiebiger als fromme Wünsche oder Tendenzen.

Es mag sein, daß es österreichischen Schriftstellern manchmal gelingt, die deutsche Sprache sozusagen auf Abwege zu führen oder zu Seitensprüngen zu verleiten. Vielleicht wird sie dann dort, wo sie steif war, ein wenig biegsamer und muß, wo sie Ordnung schaffen wollte, eine gewisse Verwirrung in Kauf nehmen. Statt an Behauptungen Gefallen zu finden, wird sie dann vielleicht für den Reiz der Fragen empfänglich und muß sich schließlich mit fremden, sogar exotischen Vokabeln und Bedeutungen einlassen. Natürlich ist die Gefahr, daß sie dabei korrumpiert wird, groß.

In Österreich, vor allem in Wien, befindet man sich gleichsam in einem Spukhaus oder in einer Geisterbahn. Wer aber dafür keinen Sinn hat, dem zeigen sich auch keine Erscheinungen mehr. Worin, so möchte man fragen, läge dann noch der Reiz des Österreichischen?

H. C. Artmann

Mein Vaterland Österreich

Österreich bestand ehedem
aus den folgenden Ländern:
dem Erzherzogtume Österreich,
dem Herzogtume Steyermark,
der gfürchteten Grafschaft Tyrol
nebst Vorarlberg,
dem Königreiche Böhmen,
der Markgrafschaft Mähren,
dem österreichischen Anteil an Schlesien,
dem Königreiche Illyrien,
dem Königreiche Galizien und Lodomerien,
dem Lombardisch-venezianischen Königreiche,
dem Königreiche Ungarn mit seinen Nebenländern
Slawonien, Kroatien und Dalmatien
und dem Großfürstentume Siebenbürgen.

Heute besteht Österreich
aus den Ländlein:
Wien,
Niederösterreich,
Oberösterreich,
Salzburg,
Tirol,
Fahrradlberg,
Kärnten,
Steiermark
und dem Burgenland.

Tu, felix Austria, juble und jodle!

Rudolf Bayr

Nur hier und nirgends sonst

Er hatte Bleisoldaten aufgestellt, Reihe hinter Reihe, die Großen
vorne, die Kleinen hinten, und da waren Frau Meierhofers alters-
schwere Füße, sie zertraten die schöne Ordnung, die zuzeiten
selbst Schlachten hatten, und Sie alte Sau, sagte der vierjährige
Stratege und barg die Zinnleiber aus den Furchen des Küchenbo-
dens, und die schweren Füße gingen still zur Küche hinaus, und
ober den Füßen war alles Kränkung des Alters, entgegnungslose
Beleidigtheit. Pause. Stille.

Daß Frau Meierhofer noch nicht da ist? sagte die Mutter.

Und Pause und Stille mit sich nehmend, leiseleise, Hand vor
Hand die Geländerstangen, die Stiegen hinab, mühte sich der nunmehr reuige Stratege ins Parterre, wo Frau Meierhofer die andere
Bedienung hatte. Warten. Eine heimkehrende Frau war behilflich,
anzuläuten. Frau Meierhofer stand im Glastürgeviert. Entschuldigen Sie, Frau Meierhofer, daß ich das gesagt habe; ich werde es
nicht mehr tun. Ja, jetzt entschuldigst du dich, und dann sagst du's
wieder. Frau Meierhofer, ich bin ein deutscher Mann, und ein
deutscher Mann lügt nicht. Schweigen. Also geh, sagte Frau Meierhofer.

Erzieherweisheit, assimiliert, reproduziert. Deutsch als morali-
sche Kategorie. Urteil als Vorurteil in Vorurteilen werthafter Zu-
ordnungen betreffend Italiener, Böhmen, Engländer (Gott strafe
England, 1914 ff.), Tiroler, Juden, Sozialdemokraten (Bolschewi-
ken), Pfaffen ...

Deutsch als moralisch verbindliches Verhaltensmuster: offen,
ohne Lüge, aufrichtig, Händedruck, Aug in Aug, ja ist ja, nein ist
nein, des Menschen menschlichste Vorzugsausgabe, zeitwandel-
beständig. Und die Diktate von Versailles und Trianon und überhaupt dieser Weltkrieg, den kein Friede beendete –

Ein Dutzend Jahre später, der Stratege über Bleisoldaten ist Phi-
losoph geworden, ein pubertärer Frühweiser, Kant und die Kritik
der reinen Vernunft und die der praktischen und die der Urteils-
kraft: die Herren am Stammtisch im Weißen Kreuz, das dritte

Viertel Zöbinger vor sich, die Professoren und Doktoren und Räte, haha, junger Freund, Kant und Schopenhauer, wozu Philosophie in Adolf Hitlers Zeit?

Noch waren die Tage der Mesalliance von Christuskreuz und Kruckenkreuz und *Seid einig* die Inschrift auf dem Rock und *Treu Österreich* anstatt Grüß Gott und Guten Tag – was dem einen Terror, war dem anderen Verteidigung, der Stratege von einst wußte nicht, von welcher Farbe die Gewehre waren, deren Kugeln über seinem Bett in der Wand steckten.

Unerläßliche Zwischenbemerkung: Am Zeugenstand ein Mann des Jahrgangs 1919, gebürtig aus Linz, mittlerer Beamtenfamilie, humanistisch erzogen, doch aufsässig mit Argumenten transzendentaler Methode, a-metaphysisch, pessimistisch.

Das war in Österreich damals nicht unterzubringen, und darin war Österreich nicht unterzubringen. Dieser Staat, an den jede Partei nur in dem Maße glaubte, in welchem der Parteiglaube ihr zu glauben vorstellte, die allein regierende sein Überleben an ihr Leben band – es ist immer noch nicht ausgemacht, ob nicht dieser Staat Selbstmord begangen hat mit der Desertion des Parlamentes vor sich selbst. Schon damit schien Österreich verschwunden, nicht erst mit dem Anschluß an Deutschland, in dem man zugleich schon die neue Republik als sich präformierend vermuten darf, nein, jene Selbstaufgabe 1933 gab auch noch die schleißigsten Reste einer allgemein verbindlichen Staatsvorstellung auf, der Österreichbegriff zerfiel in die verschiedenen Denkinhalte parteipolitischer Utilitarität. Daß daraus kaum eine Generation später ein staatspolitisches Bewußtsein hatte Realität werden können, ist mehr des Wunders als Zuwachsraten und Nationalprodukt, mit denen der Wohlfahrts- und Wohlstandsmaterialismus so gern Religion spielt.

Fragt Erinnerung die Erinnerung, wann denn, woran denn erkennbar Österreich in Wunsch und Vorstellung sich mir angezeigt habe, was es denn war, daß *ein Volk ein Reich ein Führer* sich dem nicht gewachsen zeigte?

Ja, was war es … Vielleicht eine Stimmung fürs erste, immer öfter wiederkehrend, ein verdünntes Elend, gegenständlich nicht genau beziehbar noch, das deutsche Sprechen deutsch Sprechender, die Judensterne, Wien, das einen plötzlich unanfechtbar dünkte, uneinnehmbar gemacht von vieler Völker Traurigkeit, sie war wirklicher, wohnlicher als die Zuversicht in Stiefeln und zerhackten Chören; die Kirche in der Annagasse, Burgtheater und Philharmoniker, Leopoldsberg, der Herbst an den Rebenhängen – Erinnerung unterbricht die Erinnerung: ein Österreich, von Phantasie und Sentiment tauglich gemacht für ästhetischen Genuß, Verinnerlichung als subtile Form der Fahnenflucht, strafrechtlich nicht, wohl aber moralisch faßbar und verfolgbar, quietistisches Pendant zum hölderlindeutschen Hehler und Ecksensteher der Tyrannis –

Stimmt; doch Sensibilität bestellt sich allemal noch den Richter, der judiziert; und vorliegenden Falles kann das Urteil einzig lebenslänglich lauten.

Lebenslänglich – was?

Konfiniert bleiben in Helligkeit und Reue.

Und das nennst du Strafvollzug?

Ich weiß nicht, wie hoch du das Bewußtsein veranschlagst, einmal Mördern zugewinkt und ohne Opfer ihre Zeit überdauert zu haben.

Ob ich in Österreich glücklich sei, fragen meistens Leute, die keine Österreicher sind. Antwort: bedenke ich, wo überall einer zu Leben kommt – ich möchte nur hier und nirgends sonst leben, und daß ich kann, was ich möchte, ist ein Glück, wenn auch vornehmlich im Sinne einer optimalen topographischen Fügung, einer Tyche, wie es die Griechen nannten.

Glück punktuell, als Punkt in der Zeit, in einem Raum. Kein Zustand, nicht Qualität einer Dauer, ein Moment, prägnant, wenn die Reflexion ihn trifft. Das Gefühl kennt keine Präferenzen nach Größe und Gewicht, heute, Mittwoch, sieben Uhr, September, links vom Eingang zum Tomaselli am Alten Markt in Salzburg, frühstücken nur, Föhnhimmel, gespinstüberweht, das Schattengestein der Residenz, Verona, denkst du, und du denkst, daß du in Salzburg Verona als eine Nachbarschaft hast, und schön, sagst du, und das nimmt zu in dir, alles schön, sagst du und schüttelst den Kopf, Residenz, Dom, Scamozzi, der Baumeister, der die fünf Weiten um den Dom gelegt hat, die fünf Plätze, und dann holt es dich hinein in den geschichtlichen Zusammenhang, Venetien, die Lombardei, merkwürdig übrigens, fällt dir auf, Glücklichsein ist geschichtebesetzt, ein Augenblick, der Geschichte hervortreibt, ganz sicher soferne Werke der Baukunst Auslöser sind, das Biedermeierhaus, der Palazzo, Lebensart einer Epoche objektiviert; daher war Wien eine Stadt gewesen, Leben an glückliche Momente zu binden, Wien in seiner geschichtlichen Sättigung, statuarisch dadurch beinahe, als rundum die Länder abbrachen, wegfielen anno 1918, und noch tief in die Jahre des zweiten Krieges hinein roch, klang und schmeckte diese Stadt nach der Doppelmonarchie, erst mit dem sogenannten Wiederaufbau begann das zu schwinden, erst als gezirkelter Beton die Fäulnis aus Bombenschutt und Asche zudeckte, aber der Wiederaufbau nahm überhand, die Zeit war gekommen, Geschäfte mit der Zeit zu machen, da wirkten Kirchen, barocke, und Biedermeierhäuser und Palazzi und Schlösser sich ertragmindernd aus, Plätze hatten Arbeitsplätzen zu weichen, und die Arbeitsplätze gruben auf und schütteten zu und gruben und schütteten und schütteten Geschichte zu und setzten frohgemut eine geschichtslose Gegenwart, sehr gefördert, darauf, so als habe Wien den Ehrgeiz, seine eigene Vorstadt zu werden, eine mit immer mehr Häusern für immer weniger Menschen, denn Wien ist die einzige Hauptstadt in Europa, deren Bevölkerung abnimmt, älter zudem ist als anderswo, kränklicher offenbar auch, sonst baute die Stadtverwaltung nicht das größte Krankenhaus des Kontinents, für immer weniger Menschen ein immer größeres Krankenhaus, ein Krankenhaus, pilzartig, schwarz überm Wohnbezirk, die Zukunft Wiens liegt in seinem Krankenhaus, Ausbund einer Fürsorgelibido oder die späte Rache Sigmund Freuds ...

In der Ersten Republik trug beinahe jeder ein Abzeichen: Krukenkreuz, Hakenkreuz, Drei Pfeile, Sichel und Hammer ... und am Sonntag hatten vormittags die Abzeichen Ausgang und grüßten und beschimpften und schlugen einander, bis die Polizei *die Ruhe wieder hergestellt* hatte.

In der Zweiten Republik trägt niemand ein Abzeichen; das ist vernünftig und trotzdem ein Verlust: an die Stelle des Abzeichens rückte das Statussymbol. Und das ist kein Gewinn. Zugegeben, man soll sie nicht an ihrem Rockrevers erkennen; kaum besser aber, wenn man sie an Auto und Ferienreise erkennen muß. Das Bedürfnis, vorzuzeigen, was und wie man denkt, ist abgelöst worden von dem nach Präsentation dessen, was und in welchem Maße man es hat, der Besitz beerbte die Gesinnung. Allein eine Wertephilosophie, deren Gegenstand jeweils nur als Quantum beschreibbar ist, degeneriert zur Statistik, die tatsächlich für Regierende hierzulande und rundum das ist, was Mohammed für Allah als sein Prophet.

Ich sehe ein, daß Begriffe ständig überprüft, nachgeeicht werden müssen. Allein, ich halte es für falsch, einen Begriff, anstatt seinen Inhalt kritisch zu filtern, als Ganzes zu denunzieren und vom Gebrauche auszuschließen. Beispiele: Heimat, Vaterland, Ehre, Anstand, Treue. Ihre Bedeutungsgeschichte als Zeitgeschichte ist mir durchaus geläufig, desgleichen die Kritik an ihnen aus linker Position. Gut so, wird dergestalt die tendenziöse Auflage entfernt; nicht gut, zieht man Begriff und Sache aus dem Verkehr: Denn Heimat ist nicht nur reaktionärer Topos mit Zither-musik, Vaterland nicht nur Deckname für dynastische oder militante Repression, Ehre nicht nur Syndrom standesimmanenter Selbstüberschätzung, Anstand nicht nur die Folge aus Prügelstrafe, Sonntagshemd und Moralkrawatte, und Treue ist nicht nur ein deutscher Ausdruck für Immobilität – natürlich werden und wurden diese Begriffe wieder und wieder usurpiert und mit Inhalten nach Art des Hauses gefüllt, das ja ist das Zeitspezifische und Zeitcharakteristische an ihnen, davon unabhängig aber ist allen gemeinsam, daß ihnen Wirklichkeit korrespondiert, und zwar eine, die nicht emotional trockengelegt werden kann, weil sie tief in die menschliche Vorvergangenheit zurückreicht. Unterlaufen hier einem zeitgenössischen Fürsorgestaat Kalkülmängel, bleibt er darauf versessen, einzig in Quantenmultiplikation den Sinn politischer Anstrengungen zu suchen: je perfekter er den hedonistischen Materialismus zu handhaben scheint, desto unstabiler, weniger belastbar werden der einzelne wie die Gesellschaft. Das wird wohl da und dort gesehen, kaum aber eingesehen von denen, welche Einfluß haben und Macht.

In einem denkbaren Glossar österreichischer Politiker wären etliche tradierte Begriffe in dem des Staates auf Lager gelegt für den Fall, daß die politische Raison Mahnungen und Forderungen emotional anreichern zu müssen vermeint. Denn wie auch immer man ihn definieren mag: Der Staat als Summe reglementierter wechselseitiger Ansprüche und Gewährleistungen ermangelt jener emotional wirksamen Reizausstattung, welche den Bürger stimuliert, von Eigeninteressen abzusehen, Bedürfnisbefriedigungen im Konsens mit eben diesem Staate zu vertagen, der, ist er zur Stunde auf Verzichte angewiesen, einigermaßen verlegen sein wird, unter welchem Titel er sie erwarten kann: zur Rettung, zur Erhaltung des Staates, der Demokratie, der Freiheit – mutmaßlich wird man doch wieder die Fahne entrollen, den Fundus nach den Versatzstücken durchmustern, deren Reiz noch allemal sich als Schlüsselreiz bewährt hat, wenn marschiert und geschossen wurde. Nun ja, Not erzwingt den Rückgriff, die Tradition spielt sich als Trumpf aus. Und sticht. In leichteren Fällen heißt das Nostalgie. Und als solche findet Tradition das Loch, wird die Gegenwart durchlässig für Geschichte, verliert im *déjà vu* das Neue an Neuheit, liegen Zusammenhänge bloß, erweist Fortschritt sich einzig als Zeitvorbei.

Der Österreicher hat nämlich ein überaus intelligentes Verhältnis zur Zeit: Die Gegenwart ungebrochen lebend, gewinnt er die Vergangenheit als Rücklage, an welcher er der Zukunft Maß nimmt; und die er dann meist erst gar nicht haben will, wenn einer sagt, daß sie ihm gehört. Denn Zukunft ist doch nichts anderes als jeweils die Strecke auf den Tod hin, abnehmende Zeit demnach; und also gehört dir immer weniger Zeit, wenn einer sagt, daß dir die Zukunft gehört –

Damit entzieht man sich der Versuchung, zu hoffen, dem populärsten Beispiel intellektueller Schlamperei.

Und lebt, die Schärfeneinstellung des Objektivs ständig kontrollierend.

Alois Brandstetter

Der größte Feind des Österreichers
ist der Borkenkäfer

Der Papst in Rom hat Österreich eine Insel der Seligen genannt.
Der Heilige Vater hat uns damit, wenn auch nicht im strengen
und engen theologischen Sinn, bei Lebzeiten seliggesprochen, jedenfalls seliggepriesen. Der Papst hat *selig* freilich in der Bedeutung von *glücklich* gemeint. Das Glück aber ist bekanntlich blind
und vergänglich, und niemand ist vor seinem Tod glücklich zu
preisen. Nemo ante mortem beatus, heißt es in einem Sprich-
wort, das laut Herodot auf Solon zurückgeht. (Das hätte der
Papst eigentlich wissen müssen.) Das Wort *Glück* enthält so immer auch die Bedeutungskomponente *Zufall*, auch wenn der
eklektische Pragmatiker Cicero in den «Gesprächen in Tuscu-
lum» schreibt: Fortes fortuna adiuvat. Klopfen wir also auf das
Holz, das unsere Heimat fast zur Hälfte bedeckt, daß uns das
Glück weiter hold bleibt.

Ich habe in der Volksschule gelernt, daß das Holz das wichtig-
ste österreichische Exportgut und so die solide Basis unseres
wirtschaftlichen Wohlergehens und Glückes darstellt. Mich hat
das schon als Kind sehr beruhigt und für die Zukunft Österreichs
zuversichtlich gestimmt. Denn das Glück müßte sich dann ja bei
einiger ökonomischer Vernunft immer wieder aufforsten lassen,
der Wald und unser Glück würden immer nachwachsen. In einem Schulaufsatz aber habe ich einmal geschrieben: Der größte
Feind des Österreichers ist der Borkenkäfer. Neben dem Borkenkäfer lernte ich übrigens auch den Kartoffelkäfer fürchten und
hassen. Und ich habe mich selbst in den Jahren nach dem Um-
bruch als Kind öfters an den damals üblichen großen Kartoffelkä-
fersuchaktionen in meiner Heimatgemeinde Pichl in Oberösterreich beteiligt, das heißt beteiligen müssen. Heute muß ich von
Zeit zu Zeit meine Geschwister und Bekannten fragen und mir
bestätigen und mich vergewissern lassen, daß wir das wirklich
erlebt und ich es nicht bloß geträumt habe: diese agrarischen
Großrazzien, bei denen jeweils bis zu dreißig Leuten Furche um
Furche die Kartoffelfelder auf der Suche nach den aus Amerika

eingeschleppten Kartoffelkäfern durchkämmten. Es gab sogar Kopfgeld und Prämien, Finderlohn; dies freilich nur so lange, als diese Insekten wirklich nur eine kleine Sekte und eine Minderheit waren. Bald beherrschten sie ja das Bild und die Erdäpfelfelder. Es war dies ein Unglück, aber doch auch wieder wie eine Erlösung. Wenigstens hatte die lästige Sucherei ihr Ende.

Am Gymnasium lernte ich, daß ein Österreicher, der seine Heimat liebt, das Wort *Erdapfel* verwendet und das Wort *Kartoffel*, das die Deutschen gebrauchen, die uns 1938 wie die Kartoffelkäfer überfallen und viel Unglück über das glückliche Österreich gebracht haben, unbedingt vermeiden wird. Wir sagten *Erdapfel*, aber *Kartoffel*käfer. Durch die Belohnung, die es von der Landwirtschaftskammer für jeden gefundenen Käfer gab, bekam man, namentlich als Kind, ein sehr zwiespältiges Verhältnis zu diesem Ungeziefer.

Ein Bauer, ein Kunde meines Vaters in der Mühle, machte sich damals den folgenden Reim auf die neuen und bis dahin in Österreich unbekannten Schädlinge in Wald und Flur: Siehst du, Müller, sagte er, so treiben es die Amerikaner: Zuerst wollten sie Deutschland in einen reinen Agrarstaat verwandeln, in ein einziges Erdäpfelfeld, und dann hätten sie den Kartoffelkäfer geschickt. Und nach den Kartoffelkäfern würden sie den Deutschen das DDT verkaufen. Das sei alles Politik, sagte er, und die einzige Politik sei die Wirtschaft und das Geschäftemachen. Mein Vater hatte die Vergangenheit wieder anders bewältigt, er war Pessimist geworden und liebte es neuerdings, herabsetzend und wegwerfend von Deutschland und Österreich zu reden. Er hatte zwar noch nicht ganz eingesehen, daß die Taten seines Innviertler Landsmannes schlecht gewesen, wohl aber daß sie dumm, *saudumm*, wie er sagte, gewesen sind. So gab er in diesem Falle, im Falle des Kartoffelkäfers, zu bedenken, daß nicht nur sie, die Kartoffelkäfer nämlich, aus Amerika kommen, sondern schließlich ja die Kartoffel selbst, und daß die Europäer so blöd gewesen seien, daß sie am Anfang nicht die verdickten Wurzeln, sondern die überirdischen grünen Knollen und das Blattwerk der Pflanze gefressen hätten, wie jetzt die Kartoffelkäfer. Und mein Vater lachte bitter und gefiel sich in der Vorstellung, wie die Europäer nicht die verdickten Wurzeln, sondern die überirdischen grünen Knollen des exotischen Nachtschattengewächses fraßen und erbrachen. Den Europäern, sagte mein Vater, fuhr das grüne Püree beim Arsch aus. Wir waren zu dumm zum Erdäpfelessen, sagte mein Vater. Die Amerikaner haben uns gezeigt, wie man Erdäpfel ißt, und jetzt haben sie uns gezeigt, wie man einen Krieg führt.

Papst Paul VI. sagte, Österreich sei eine Insel der Seligen, mein Vater aber sagte damals, daß Österreichs Glück einzig in seiner Bedeutungslosigkeit liege. Glücklich ist, wer vergißt, sagte mein Vater, die Stärke des Österreichers sei die Vergeßlichkeit. Der Österreicher kann froh sein, daß er so dumm ist.

Alles, was wir können, sagte mein Vater, ist Holz, einen rohen Stoff, exportieren und unsere Wälder plündern. (Heute nennt die Wirtschaftswissenschaft das Holz ein *unintelligentes* und *unsensibles* Produkt.) Österreichs Gegenwart und Zukunft, sagte mein Vater, liegt im Holz, also in der Vergangenheit, als man die Bäume angesetzt und gepflanzt hat. Seien wir glücklich, sagte mein Vater, daß wir wenigstens ein Holz haben. Verdient haben wir es eh nicht. Aber die dümmsten Bauern haben oft die größten Erdäpfel.

Helmut Eisendle

Gedanken über den Ort meiner Sprache
oder
Dort, wo ich die Erde am schönsten fand,
da war sie öd' und leer

Die heimliche Abhängigkeit, die sich in einer, meiner, unabhängigen Heimlichkeit verheimlicht, definiert meine unheimliche Abhängigkeit von der heimeligen Unheimlichkeit meiner Heimat, genannt Österreich.

Unfähig in ihr zu leben, unglücklich anderswo, kann ich einzig mit den Idiosynkrasien eines Leidenden auf den Namen dieses Landstrichs reagieren.

Der Ort, an dem ich lebe, wo immer es sei, ist das Niemandsland vor den geschlossenen Pforten.
   Ich behaupte die geographische, die politische und die wirtschaftliche Inexistenz Österreichs:

Austria 1:   Ein Reich, in dem die Sonne nicht untergeht, nicht untergehen will ...
Austria 2:   Jeder Raab braucht seinen Figl. In der Totenkammer der Hofburg liegt unser Herz ...
Austria 3:   Je größer der Stiefel, desto größer der Absatz. Kein Graus macht hier den Garaus ...

Ich behaupte einzig und allein die sprachliche Existenz Österreichs. Österreich ist seine Sprache:

Austria A: Ein-e Freud-'-is des a freud-ist stets besser als ein Reich (Orgon oder Ranitzky) ...
Austria B: Die Parallelaktion hat nichts mit Raab und Figl oder Wein und Politik zu tun, sondern mit Musils Mann ohne Eigenschaften ...
Austria C: Österreichs Sprache ist absatzlos sein wahrhafter Exportartikel, ja, ist Österreich.

Die Sprache – das Österreich – eben jenes, was ich als meine Heimat anerkenne, ist etwas zwischen den Menschen.

Dies wird nirgends deutlicher als in meiner Liebe. Jedoch, zum Begattungsakt zweier Geister – Ich und meine Heimat, die Sprache Österreich – sind wir nicht geeignet.

Sie, die Sprache Österreich, ist zu sehr wie Ich: verschämt, zärtlich, ans Spiel gebunden, plump, zu plump für die innigste Umarmung. Die absolute Einheit, die Vereinigung in der Liebe, ist uns unmöglich geworden.

Die Schädelwand ist zu dick, kein Wort, kein Gedanke, kein Idiom ist zur Begattung bereit.

Wie ein verrückt gewordener Instinkt klettert die Sprache Österreich in meinem verliebten Kopf umher. In stillen Momenten träumen wir von einer Umarmung im Jenseits, um dann um so gefährlicher auseinander zu stürzen.

Wie dies alles zugeht, wissen wir – Ich und die Sprache Österreich – nicht. Und doch empfinde ich etwas.

Ich spüre, wie ich von zwei ungleichen Zugtieren fortgerissen werde: Ein wildes borstiges Schwein und ein geflügelter Haflinger mit blonder Mähne sind mir an der Deichsel.

Der ungleiche Trab, den dieses seltsame Paar – die Sprache Österreich – auf meinem Weg vollführt, läßt mich schwanken und lehrt mich das Fürchten.

Beflügelt wünsche ich hinter der blonden Mähne zu sitzen und auf und davon zu reiten.

Doch es ist eine Illusion zu glauben, das Fliegen und Fliehen sei die Lösung. Das Schwein ist mir und ich bin ihm zu sehr ergeben.

In der Hitze des Weges durch das Niemandsland, in dem ich wohne, sehe ich sie vor mir: Das ekelhafte Schwein vereint mit dem edlen Tier, beides meine Heimat, die Sprache Österreich. Ich bin gerührt.

Oft schaudert das Pferd, wenn es das Wildschwein neben sich spürt, grunzend, rülpsend, stampfend und schmatzend spürt. Das Schwein lebt ohne Rücksicht und Unterlaß.

Ich habe mich damit abgefunden, mit diesem Paar – mit der Sprache Österreich, meiner Heimat – zu leben.

Ich habe endlich den Mut zu dieser miserablen, unumgänglichen Beziehung gefunden.

Ich liebe ganz verwirrt und wunderbar.

Die Sprache Österreich, der Ort, an dem ich lebe, ist meiner Sehnsucht Ziel und doch nur eine Mesalliance.

Gustav Ernst

Wird der ORF linksradikal?

Die Frau überblättert die Sportberichte, macht die Zeitung zu und klemmt sie zwischen sich und die Holzverschalung. Sie beobachtet Cerny, der in einem Biologie-Skriptum blättert, steht dann auf und geht zum Ausgang. Cerny nimmt die Zeitung, die auf dem Sitz liegengeblieben ist, und liest einen Artikel, in dem sich ein Redakteur der Innenpolitik darüber aufregt, daß der bisherige langjährige Generalsekretär des ORF, ein klerikaler ÖVP-Gefolgsmann aus der Ära Bacher, wegen eines Sozialdemokraten, auf den die SPÖ bauen kann, auf einen anderen Posten hinüberwechseln muß, der auch gut dotiert ist, aber etwas entlegen. Die Frau kommt mitten im Schlußsatz zurück und sagt, daß das ihre Zeitung ist. Ich habe geglaubt, sagt Cerny und rollt die Zeitung zusammen, Sie haben sie schon fertiggelesen. Wer sagt das, sagt die Frau übertrieben laut und schaut auf die Umstehenden.

Als Cerny bei der Universität aussteigt, trifft er auf Gruber, der ihn daran erinnert, daß heute wieder der Stehkonvent der Schlagenden Verbindungen ist und der Nazi-Mittwoch. Ich weiß, sagt Cerny. Weißt du auch von der Kundgebung, sagt Gruber. Sie gehen miteinander.

Vor dem Tor stehen Rechtsradikale. Für euch zwei, sagt einer zu Cerny und Gruber, haben wir schon ein schönes Plätzchen in der Gaskammer reserviert. Einer kommt näher heran. Aus euch warmen Brüdern, sagt er, machen wir auch noch Schichtseife. Ein dritter fotografiert sie und sagt: Damit wir wissen, wie ihr ausschaut, wenn es dann soweit ist. Cerny und Gruber betreten, ohne ein Wort zu verlieren, die Aula. Ein persischer Student kommt mit einer zerbrochenen Brille in der Hand hinter ihnen beim Tor hereingelaufen.

Eine größere Gruppe Studenten debattiert die Vorkommnisse. Einige verweisen auf die Universitätsbehörde. Der Rektor, sagt einer, war bei der SS, was willst du von dem. Einige Kollegen stehen am Rand, besichtigen die Aufregungen und gehen weiter. Einer in der Mitte sagt: Die Hochschulwahlen sind erst in vier Wochen. Sollen wir uns das länger bieten lassen? Eine Studentin nimmt das Megaphon und erzählt: Vorige Woche habe ich Flugblätter verteilt, wegen der Prozesse, die in Kärnten gegen slowenische Demonstranten geplant sind, während alle Verfahren gegen die Deutschnationalen, gegen die Ortstafelstürmer und Prügelgendarmen niedergeschlagen sind, während der sozialdemokratische Landeshauptmann von Kärnten öffentlich erklärt, er sei ebenfalls ein hochgradiger Hitlerjunge gewesen. Jedenfalls, sagt die Studentin weiter, haben mir Nazis die Flugblätter aus der Hand gerissen, mich gestoßen, mir angekündigt, mich in ein KZ-Bordell zu stecken, wenn sie an der Macht sind, mir prophezeit, sie würden mich abpassen und vergewaltigen, sie wüßten schon, wer ich sei, wo sie mich finden könnten. Wenn man mich noch einmal erwischt, hat einer gesagt, wie ich für die Sau-Tschuschen Reklame mach, schneidet er mir das Gesicht in Stücke. Schmeißen wir diesen Nazidreck doch von der Rampe hinunter, sagt einer. Schluß mit dem Naziterror, ruft ein anderer. Eigentlich müßte ich ins Seminar, sagt Cerny. Die draußen haben Fahrradketten und Stöcke, sagt Gruber. Er zieht zwei Gummiwürste hervor. Cerny schiebt sich eine davon in den Ärmel.

Die Rechtsradikalen vorm Tor ergreifen die Flucht. Einer von ihnen wird von persischen Studenten eingeholt. Sie schlagen gemeinsam so lang auf ihn ein, bis er liegen bleibt. Als sie weggehen, steht er auf und rennt mit Platzwunden auf dem Kopf davon.

Die Plakatständer, auf denen die Nazis ihre nackte Angst vor Leuten, die nicht Deutsch reden, öffentlich herzeigen und auf denen sie vor Leuten warnen, die die Angst nicht haben, werden auseinandergenommen. Die Holzstücke fliegen hin und her.

Bei den einzelnen Zusammenstößen am Fuß der Rampe, auf dem Gehsteig und auf der Nebenfahrbahn unter den Bäumen, sind die Faschisten in der Minderheit. Sie rennen wie die Wiesel und zickzack zwischen den Fahrzeugen, um die andere Straßenseite zu erreichen. Cerny erwischt einen, der gegen ein parkendes Auto gelaufen ist, und schlägt mehrmals mit dem Gummiknüttel nach ihm, trifft aber hauptsächlich Mantelteile, die vom Nazi weghängen. Ein zweiter, mit Wehrmachtshelm und Natojacke ausgerüstet, taucht neben ihm auf, sagt: Kommunistensau, und holt mit der Fahrradkette aus, wird aber von hinten mit einem Holzprügel voll auf die Schulter getroffen, worauf er sofort über die kleine Rasenfläche und knapp vor dem Bug der daherkommenden Straßenbahn auf die Fahrbahn hinausläuft.

Als einer: Achtung, sie schießen, ruft, rennt Cerny, ohne sich umzuschauen, so schnell ihn die Beine tragen können, zur Rampe zurück. Er hört mehrere Schüsse.

Die Polizei trifft ein, bildet Ketten und schiebt sich zwischen die Parteien. Es hat sich herumgesprochen, daß die Schüsse aus Gaspistolen stammen müssen. Ein Pistolenschütze wird festgenommen, das heißt, er wird zu einem Polizeiauto begleitet. Ein Polizeioffizier unterhält sich mit einigen Rechtsradikalen über die Lage. Cerny läßt seine Gummiwurst wieder im Ärmel verschwinden. Paß auf, sagt einer, sie kommen.

Als die Polizei die Rampe zu besetzen beginnt, indem sie die Antifaschisten links und rechts hinunterdrängt, kommt es zu Tumulten, weil eine Eisenkette, die die Rampe für Autos gesperrt hält, einen Stau verursacht.

Unten, schon fast auf der Nebenfahrbahn, beginnt plötzlich alles zu rennen. Cerny, der keinen Grund dafür sieht, rennt nur ein kleines Stück davon mit. Polizisten holen ihn ein. Sie stoßen ihn gegen die Wand. Einer zieht seinen Kopf an den Haaren seitlich über die Schulter hinunter, andere drehen ihm die Arme auf den Rücken. Als man den Gummiknüttel bei ihm findet, sagt einer: Da ist ja die Tatwaffe. Das Biologie-Skriptum, das auf die Straße gefallen ist, kickt einer mit dem Fuß weg.

Während Cerny mit dem Kopf nach unten von vier Männern gehalten wird, bis die Handschellen kommen, sieht er zwischen die Beine der Polizei durch auf einen der führenden Rechtsradikalen, der sich mit dem Polizeioffizier unterhält und den er mit Namen kennt, der auf Cerny zeigt und auch auf einen zweiten Studenten, der nicht schnell genug weg ist, auf einen Wink des Polizeioffiziers hin überwältigt und unter heftigen Protesten der Umstehenden abgeführt wird. Cerny bekommt die Hände auf den Rücken gefesselt.

Der Diensthabende in der Wachstube sagt: Den gleich hinunter.

Links und rechts von Cerny befinden sich zwei Polizisten, die ihn immer, wenn sie durch eine Tür gehen, so abdrängen, daß er mit der Schulter gegen den Türstock kracht.

Im Keller sitzen einige Dreistern-Polizisten. Der eine sagt: Du Arschloch, du Drecksau, die langhaariger Aff. Er stellt sich hinter Cerny und sagt: Du glaubst, weil du die Matura hast, kannst du dich bei uns aufführen. Du intellektueller Scheißer, du. Dir werden wir schon noch den Arsch aufreißen bis zum Halswirbel. Mit euch Großkopferten werden wir noch immer fertig. Euch hauen wir noch immer die Goschen an. Ihr kommt immer in unsere Gasse. Da nützt euch das Gescheitsein einen Tinnef. Verstanden, du Arschgeige, du Hurenbeutel, du Scheißhaus. Er nimmt Cernys Gummiwurst und schlägt ihn damit mehrmals auf den Rücken. Cerny taumelt gegen die Wand, hat aber noch die Hände gefesselt, so daß er sich nicht abstützen kann. Mit euch warmen Brüdern, sagt der Polizist, machen wir kurzen Prozeß. Er setzt sich wieder zu Tisch. Für meine eigenen Kinder, sagt er, brauch ich nämlich auch niemanden. Die drisch ich mir auch zurecht. Wenn du einen Muckser machst, fügt er hinzu, wenn du dich beschweren willst, dann sag es gleich, dann hau ich dir jetzt gleich das Kreuz ab.

In der Zelle ist ein Taubstummer, der sich freut, Gesellschaft zu kriegen. An den Wänden gibt es Podeste, die mit Linoleum belegt sind. Auf die kann man sich drauflegen.

Mehrere Besuche erscheinen. Der Amtsarzt will hören, daß Cerny haftfähig ist, sonst nichts. Ein Polizist, der einen Nazi mit verbundenem Schädel bei der offenen Tür hereinschauen läßt, sagt: Ist das der mit der Latte, worauf der Nazi sagt: Ich weiß nicht, ob er es ist, worauf der Polizist sagt: Wissen müssen Sie das aber schon, mein Lieber, worauf der Nazi sagt: Ich weiß es jetzt schon, ich glaub, er ist es. Ein Polizist in Zivil möchte aus Cerny Einzelheiten herauskitzeln. Er fragt, auf der Kante des Podests sitzend, ununterbrochen. In das Heftchen, das er auf und zu macht, möchte er gern dauernd etwas hineinschreiben. Aber Cerny sagt, rein zufällig ist er dabeigewesen, kennen kann er niemanden, mit Namen schaut es sehr schlecht aus.

Im ersten Stock bei der Einvernahme hört Cerny zum erstenmal, weshalb man ihn festhält: wegen schwerer Körperverletzung und Widerstand gegen die Staatsgewalt. Aussagen von Polizisten und Nazis, die man ihm vorliest, belasten ihn schwer. Das ist doch absurd, sagt Cerny. Als Rädelsführer, sagt der Polizist, sind Sie aber ganz schön naiv. Rädelsführer, sagt Cerny, das ist doch wirklich absurd. Wirklich absurd, sagt der Polizist, sind in diesem Fall Sie.

Cerny verlangt Rechtsbeistand, aber solang man nur festgenommen ist, wird er belehrt, und nicht in Haft, hat er kein Recht darauf. Er bekommt eine Verwaltungsstrafe von 14 Tagen primär wegen Störung öffentlicher Ordnung und wegen Erregen öffentlichen Ärgernisses. Das ist eine Strafe, die man unbedingt absitzen muß. Der Schlag auf den Hinterkopf des Polizisten nämlich, den Cerny ausgeführt haben soll, hat bei den Umstehenden, sagt man, Ärgernis erregt. Cerny bekommt 14 Tage Bedenkzeit. Er wird bald darauf weggebracht, weil er noch immer nichts sagen will.

Schau, sagt der Polizist, der Cerny die ganze Zeit über durchs Haus begleitet, ich bin ein alter Sozialdemokrat, aber ich finde, alles ist aufgebauscht. Schauen Sie doch einmal nach Kärnten, sagt Cerny. Na gut, Kärnten, sagt der Polizist. Da sind doch alle Nazis in die SPÖ eingetreten, sagt Cerny. Glaubst du, ich weiß das nicht, sagt der Polizist. Der Heimatdienst ist doch rechtsradikal, sagt Cerny. Rechtsradikal, sagt der Polizist, Spinner sind halt darunter. Spinner, sagt Cerny, vor Spinnern legt sich Kreisky doch nicht auf den Bauch. Vor Faschisten vielleicht, sagt der Polizist, oder wie meinst du das. Und die Notstandsgesetzgebung, die die ÖVP in Vorarlberg plant, ist das vielleicht nicht faschistisch, sagt Cerny. Davon weiß ich nichts, sagt der Polizist. Und das Kesseltreiben gegen den Steirischen Herbst, sagt Cerny. Steirischer Herbst, sagt der Polizist, was soll das sein. Und der dauernde Ruf nach der Todesstrafe, sagt Cerny. Minderheiten, sagt der Polizist. Und die Dostals und Wagners, sagt Cerny, mit ihren Schießständen, Waffenlagern, Folterkammern, Bombenwerkstätten. Waffennarren, sagt der Polizist, Psychopathen. Aber rechtsradikale, sagt Cerny, mit Hitlerbildern und nazistischen Bibliotheken. Solche gibts immer, sagt der Polizist. Die gute Verbindungen zum Bundesheer haben, zur Nahkampfschule, zur Polizei, sagt Cerny. Zur Polizei, sagt der Polizist, wer sagt das. Oder nicht, sagt Cerny. Aber sicher, sagt der Polizist, solche mit Wischer gibts überall. Und die Gefechtsübungen im Wienerwald, sagt Cerny. Die haben wir unter Kontrolle, sagt der Polizist. Wer wir, sagt Cerny. Wir, die Polizei, sagt der Polizist. Und wer hat die Polizei unter Kontrolle, sagt Cerny. Sie treten zum Beamten ins Zimmer, der Cernys Personalien und Kleidungsstücke sorgfältig notiert. Noch irgendwohin, sagt Cerny. Nein, sagt der Polizist und läßt Cerny vorausgehen, aber warum ignoriert ihr sie nicht. Jede Straßenschlacht ist für sie eine Werbung. Soviel Zukunft wie jetzt haben sie noch nie gehabt. Weil wir sie bekämpfen, sagt Cerny, oder wie meinen Sie das. Ich möcht wissen, worauf ihr hinauswollt, sagt der Polizist. Aus jeder Fliege einen Elefanten machen, sagt er, das muß doch schiefgehen. Laßt sie doch links liegen. Geht ihnen aus dem Weg. Hört nicht hin. Würdigt sie keines Blickes. Laßt sie in der Luft verhungern. Laßt sie ins Leere laufen.

Im Dienstzimmer, wo Cerny auf die Überstellung ins Polizeigefängnis wartet, trinken die Polizisten aus winzigen Gläsern, die sie auf dem Tisch unter ihren Kappen haben, Rotwein. Einer zeigt Cerny, indem er den Hörer abnimmt und auf den Knopf drückt, daß es unmöglich ist, auch wenn er Cerny ein Gespräch mit seiner Freundin erlauben könnte, von hier aus nach draußen zu telefonieren.

Unter einer Decke, bei der er es bald aufgibt herauszufinden, wo das Fußende ist und wo der Teil, den er sich in die Nähe des Mundes legen kann, verbringt Cerny hungrig, weil er für das Abendessen zu spät eingeliefert worden ist, die Nacht Ende März im Polizeigefängnis, wo draußen noch der viele Schnee liegt. Er kann lang nicht einschlafen.

Am Morgen sitzt er im letzten Stock, wo er schön über die Stadt sieht, auf einem Drehsessel mit der Nummer unter dem Kinn und wird fotografiert. Tricks, um die Fingerabdrücke undeutlich zu machen, nützen nichts. Jede Narbe, die Cerny hat, wird notiert. Bei der Feststellung der Augenfarbe gibt es eine Diskussion.

In einem vergitterten Auto wird er ins Landesgericht überführt. Durch eine kleine Tür und einen Duschraum gelangen sie ins Innere. Ein Journalrichter verhängt die Verwahrungshaft.

Cerny kommt in Trakt F. Ihm werden Bettzeug und Glasgeschirr ausgehändigt. Der Bücherkatalog der Gefängnisbibliothek wird ihm für ein paar Tage später in Aussicht gestellt. Sein Mithäftling findet sich damit ab, daß Cerny, der das Klosettpapier versteckt, hauptsächlich lesen will. Die Zeitungsblätter, die Cerny daraufhin bekommt, bestehen fast ausschließlich aus Annoncen. Das Stück einer Glosse, das auch dabei ist, handelt vom Vorleben des neuen ORF-Generalsekretärs: er sei für die Abschaffung des Religionsunterrichts, brüte, abgesehen von seiner Unerfahrenheit im Medienbereich, ununterbrochen radikale Justizreformen aus wie den Häftlingsurlaub, weigere sich andererseits, die Fernsehsendung XY, die jeder liebt, der ein reines Gewissen hat, zu lieben. Die ÖVP fragt, was ein Mensch, der so beschaffen ist, zur Objektivität des ORF beitragen kann. Die ÖVP wünscht sich ein Regionalfernsehen. Jetzt, wo ihre Objektivität im gegenwärtigen ORF-Monopol nicht mehr gewährleistet ist, weswegen der Funk auch ein Rotfunk ist, müssen neue Kanäle her, Landeskanäle zum Beispiel, auf denen die ÖVP wieder objektiv sein kann, weil: die Demokratie, sagt die ÖVP, schreit danach. Cerny liest den Artikel so oft, bis er ihn auswendig kann. Aber auch die Annoncen beherrscht er bald aus dem ff.

Der Anwalt kommt tags darauf. Von ihm hört Cerny vom neuerlichen Aufmarsch der Rechten. Die Polizei hat eine Schlägerei verhindert. Eine Stunde lang haben Studenten, deren Äußeres den Nazis nicht deutsch genug war, die Universität nur durch einen Seiteneingang betreten können. Zwischen Polizei und Nazis hat es Verhandlungen wegen eines ehrenhaften Rückzugs gegeben. Unter Rufen wie: Rotfront verrecke, linke Stinker, Tod dem Kommunismus und unter Absingen faschistischer Lieder sind sie, während die Polizei gegen die Antifaschisten eine Kette gebildet hat, abgezogen. Sozialdemokratische, kommunistische, trotzkistische und auch christliche Studenten haben vor dem Landesgericht in

Sprechchören die Freilassung Cernys gefordert. Die Nachricht, daß der rechtsradikale Pistolenschütze, der gleichzeitig mit Cerny festgenommen worden ist, bereits nach zwei Stunden frei war, hat weit über den Universitätsboden hinaus Empörung über die Kriminalisierung von Antifaschisten ausgelöst. Im Moment, sagt der Anwalt, regnet es Proteste auf die Regierung. Gefordert wird die Erfüllung des Staatsvertrags, das generelle Verbot aller neonazistischen Gruppierungen und ihrer Veranstaltungen.

In den folgenden Tagen lehnt die Wahlkommission, liest Cerny in der Zeitung, die er aus der Nachbarzelle hat, eine Kandidatur der Rechtsradikalen ab. Am nächsten Tag hebt ein Beamter des sozialdemokratischen Wissenschaftsministers diesen Beschluß wieder auf.

Die Staatsanwaltschaft hat gleich nach Einlieferung Cernys eine Anklageschrift verfaßt, in der die Anklage wegen Widerstands gegen die Staatsgewalt nicht mehr enthalten ist. Der Antrag auf Enthaftung, den die Staatsanwaltschaft einbringt, wird vom Richter unter Hinweis auf Wiederholungs- und Verdunkelungsgefahr abgelehnt. Die nächsthöhere Instanz, die Ratskammer, die sich daraufhin mit der Sache befassen muß, verfügt die Aufrechterhaltung der U-Haft. Sie begründet dies mit Cernys Vorstrafen wegen Beschädigung öffentlichen Eigentums. Cerny ist zweimal beim Plakatieren erwischt worden. Die Plakate haben sich einmal auf die Erfüllung der Rechte der slowenischen Minderheit in Kärnten bezogen, ein andermal auf die terroristische Tätigkeit des persischen Geheimdienstes SAVAK in Österreich, insbesondere auf Hochschulboden.

Unter dem immer größer werdenden Druck der öffentlichen Proteste beschließt das Oberlandesgericht nach 10 Tagen Cernys Enthaftung.

Cerny erfährt im Sozialreferat der Hochschülerschaft, daß es im heurigen Sommer für Studenten schwer sein würde, Arbeitsplätze zu finden. Er läßt sich vormerken. Er kauft im Kulturreferat nebenan eine Zeitung, die dort billiger ist, und überfliegt die Berichte aus Salzburg. Nazis haben dort einen Stand errichtet, um für die Freilassung von Heß Unterschriften zu sammeln. In der darauffolgenden Auseinandersetzung mit Antifaschisten hat die Polizei eingegriffen. Ein Polizist ist verletzt worden, vier Demonstranten sind wegen schwerer Körperverletzung und Widerstands gegen die Staatsgewalt festgenommen worden. Cerny betrachtet das Foto, auf dem ein Polizist mit Schäferhund vor einer Tafel mit altdeutscher Schrift Wache hält. Der Stand ist bereits auf Grund der Proteste entfernt worden. Die Salzburger Hochschülerschaft hat zur Beteiligung an einem Protestmarsch gegen den Neofaschismus aufgerufen. In Frankreich, liest Cerny, haben Faschisten aus einem fahrenden Auto das Feuer auf Streikposten eröffnet. Ein Kollege erzählt Cerny von einem Lokal, wo Neonazis regelmäßig arbeitslose Jugendliche für Aktionen anwerben, danach gibt es Freibier.

Als Gruber aus der Vorlesung kommt, wundert er sich, Cerny vorm Hörsaal zu finden. Allein, sagt Cerny, gehe ich nicht auf die Rampe. Hast du die Flugblätter noch, sagt Gruber. Hast du das schon gelesen, sagt Cerny, aus Salzburg. Vor dem Historischen Institut haben sie wieder die Plakate heruntergerissen, sagt Gruber, siehst du das Hakenkreuz dort.

Ich glaube nicht, sagt Gruber, als sie das Neue Institutsgebäude verlassen, daß die österreichische Bourgeoisie, wenn sie Angst kriegt und den Klassenkampf von oben verstärken muß, um die Arbeiterschaft niederzuhalten, die Nazis holt. Ich glaube schon, sagt Cerny. Schau in die BRD, sagt Gruber, da genügt die Sozialdemokratie. Derweil, sagt Cerny. Warum sollte die Bourgeoisie in der Krise, sagt Gruber, die Arbeiterschaft mit Gewalt bekämpfen und die Sozialdemokratie gegen sich aufbringen. Die SPÖ hat die Arbeiterschaft in der Hand und will an der Macht bleiben. Wickelt das Kapital ein Gutteil seiner Geschäfte und seines Klassenkampfs weiter über die SPÖ- und Gewerkschaftsspitze ab, hat es zwei Fliegen auf einen Schlag: sozialen Frieden und die Dankbarkeit der SPÖ. Derweil, sagt Cerny. Immer wieder, sagt Gruber. Unter der SPÖ-Regierung wachsen die Nazis daher auch wie die Schwammerln, sagt Cerny. Sie wachsen nicht, sagt Gruber, sie kommen nur aus ihren Löchern. Die Sudetendeutschen treffen sich, Burschenschaften marschieren auf, Kameradschaftsbündler feiern in Braunau den Führer, SSler kommen ins Zillertal, die rumänische Eiserne Garde und die kroatischen Ustascha-Faschisten gehen miteinander in Kärnten spazieren, sagt Cerny, und die SPÖ sitzt und schaut. Irrtum, sagt Gruber. Nichts Irrtum, sagt Cerny, die SPÖ-Führung glaubt wie in der Zwischenkriegszeit, wenn sie menschlich ist zur Bourgeoisie, ihr nichts tut und nimmt, ihr nichts verbietet, die eigenen Parteimitglieder am Kampf hindert, dann ist die Bourgeoisie gerührt, merkt sich das gut und ist später, zur Revanche, einmal menschlich zur SPÖ. Der Effekt davon war der Austrofaschismus. Schon Irrtum, sagt Gruber. Hör mir doch auf damit, sagt Cerny. Die SPÖ will, sagt Gruber. Was die SPÖ will, sagt Cerny. Die SPÖ will, sagt Gruber, die alten Nazis als alte Nazis leben und aussterben lassen und die radikale Bourgeoisie, die die Neonazis bezahlt, isolieren, indem sie der übrigen

Bourgeoisie rechts genug ist. Was die SPÖ will, sagt Cerny, ist: die Rechnung ohne den Wirten machen. Die Sozialdemokratie, sagt Gruber, ist stark, wenn sie stark rechts ist. Jetzt geh endlich scheißen mit deiner Sozialdemokratie, sagt Cerny. Sie gehen eine Weile schweigend nebeneinander. Sie biegen um die Ecke des alten Gebäudes und schauen auf die Rampe. Das sieht doch ein Blinder, sagt Cerny und bleibt stehen, die Sozialdemokratie kann doch nicht, auch nicht die rechteste, wenn es hart auf hart geht, den Faschismus ersetzen. Ich glaub schon, sagt Gruber. Auch nicht in Mitteleuropa, sagt Cerny. Schau in die BRD, sagt Gruber. Scheiß auf die BRD, sagt Cerny, einmal kommt doch der Punkt, da muß die Bourgeoisie, ob sie will oder nicht, will sie überleben, die Sozialdemokratie in den Wald schicken, die Gewerkschaften zerschlagen, selber schauen, daß sie Arbeiter und Angestellte, die Intelligenz in den Griff bekommt, direkt, das heißt immer mit offenem Terror. Und die Berufsverbote, sagt Gruber, sind die ein Dreck, der 88a-Zensur-Paragraph, die Notstandsgesetze, die die SPD schafft, um das Kapital zu beruhigen. Das Kapital, sagt Cerny, ist nie zu beruhigen, solang es die Arbeiterklasse gibt. Es ist höchstens beruhigt darüber, daß die SPD ein paar Gesetze gemacht hat, die ihm gelegentlich helfen könnten, die SPD zu terrorisieren, gegebenenfalls abzuschaffen. Gruber wackelt mit dem Kopf. Liest du denn die Zeitungen nicht, sagt Cerny, fixnocheinmal.

Ein paar Nazis kommen die Rampe herunter. Wir sind zu wenig, sagt Cerny. Sie drehen um und gehen zur Unterführung. Sie fahren mit der Rolltreppe, während die Nazis die gewöhnlichen Stufen hinunterlaufen und sich unten aufbauen. Cerny nimmt seinen Schlüsselbund fest in die Hand. Sie machen sich aus, in welche Richtung jeder von ihnen weglaufen soll. Unten werden sie mit Beschimpfungen empfangen, aber nicht angegriffen. Sie gehen ruhig weiter. Mit euch machen wir noch kurzen Prozeß, sagt einer. Laßt euch hier ja nimmer blicken, sagt ein anderer, sonst sind die Eier ab. Cerny sieht einen Nagelhandschuh und ein Springmesser. Sei froh, daß dich niemand erkannt hat, sagt Gruber.

Sie gehen auf einen Kaffee. Die Flugblätter stoßen sie unter den Tisch. Es sind noch zwei Wochen bis zu den Wahlen. Cernys Prozeß ist Anfang Juli. In den Semesterferien.

Ende Juni 1977

Gunter Falk

Tu felix serve domus nube!
oder
Der welsche Franz in der Steiermark

Für Urs Widmer, dem lachen – notwendigerweise –
politisch wird, aber nicht gerade deswegen
1977

I

Es ist krieg, mutter, und die tiere schlafen.

Franz erhob sich wieder einmal, räsonierte wenig und tat sich seinen sprechsack an. Seine muskeln spannten sich vor erleichterung. Jeden donnerstag ließ er das ei heiß werden, um es mit spinat garniert servieren zu können, allein, diesmal war ihm kein volltreffer gelungen. Wo bin ich, meditierte er. Vom dorf her scholl antwort: hast du des guten genug getan? Jetzt schnell eine zigarette, schoß es ihm durch den kopf, und er öffnete seine hose. Seine wirtin hatte derweil das abendbrot bereitet; sie biß die zähne aufeinander, als sie dem Schinken aufs kreuz schlug. Kommen Sie, herr Franz, kommen Sie, wies ihm der hausknecht den rechten weg, und Franz, der linkshänder und -beiner war, wünschte schon gestorben zu sein. Nichts da! nichts da! ahnte die wirtin aber sein ansinnen und lächelte ihm genießerisch zu. Energisch öffnete Franz seine hose ganz und tat einen erfrischenden abendspaziergang.

In der ferne sah er handwerker an der arbeit, hörte den donner grollen, roch das frühstück und dachte an seine liebste. Sie wollen nicht schon wieder streiten, herr Franz, eröffnete ihm der hausknecht, der ihm offensichtlich gefolgt war, und versuchte kurzerhand, seine ausgreifenden schritte zu bremsen. Inzwischen hatte die wirtin die schürze abgebunden und befingerte rhythmisch eine rechenmaschine. Die wirtin, Olga, sang im kirchenchor und hatte schon manchen vers geschmiedet. Franz liebte sie beizeiten, was ihm durch den sinn ging, als er sah, daß er mit dem sprechsacke noch immer nicht zurecht kam.

Nun sah er herrn Schinken sich ihr nähern, und völlige dunkelheit schloß ihn gnädig aus. Wir wollen wetten, daß morgen freitag ist, rief er dem hausknecht beherzt zu. Dieser vertrieb sich die zeit mit schwerem spiel; er war von liebreizendem antlitz, wenn auch ins alter geraten, und hatte im krieg als panzerjäger gedient. Wem er damit gedient hatte, ist heute vergessen, denn heute ist sonntag, und dieser ist der tag der herren, die in schmucken uniformen in die wacholderschnapsumdufteten auen pilgern, hand in hand. Franz liebte den hausknecht nicht weniger als Olga – nur natürlich –, nur natürlich auf andere art und weise.

Im schilf des tümpels aber hatte sich der oberlehrer versteckt, der nun, als das ungleiche paar sein blickfeld kreuzte, dessen diskurs jäh interruptierte. Jeder tag ist ein anderer tag, ließ er vernehmen, ohne daß man ihn dabei erkennen hätte können. Und als weder Franz noch hausknecht noch wirtin noch ein anderer dorfbewohner ihm erwiderte, setzte er hinzu: aber die tage sind gezählt. Im kriege war der herr oberlehrer panzerfahrer gewesen, aber das war lange her. Er hatte auch einen ansehnlichen rang bekleidet gehabt; nun war seine kleidung schlicht und sauber, wie es seinem berufe entsprach.

Es blitzte, und der oberlehrer trat vor. Daß wir uns so wiedersehen, entgegnete ihm Franz, und der hausknecht blieb stumm. Man hätte die situation fast mit händen fassen können: so dicht war sie; Franz aber verbarg geschwind den sprechsack mit seinem leib.

Eine krähe flog über den tann, drei hasen hüpften durchs schilf – eher unbeholfen, denn dies war nicht ihr gewohntes terrain –, und die kühe beteten mit verschränkten vorderbeinen zur nacht. Schinken war ein kurgast. Das dorf war ein kurdorf, die 70.000 meter weit entfernte stadt eine kurstadt. Aber dem städtischen leben und treiben hatte Franz seinen rucksack gekehrt.

Wollen Sie noch immer das kurdorf sehen und sterben, fragte der oberlehrer ihn höhnisch. Weiß ichs, erwiderte Franz filosofisch; im stillen aber dachte er ganz etwas anderes. Franz war ein filanthrop, seine mutter tot, sein vater bei Rimini verschollen. Sein leben war bewegt, seine bewegungen ruhig; im dorf hoffte er auf einsicht und nachsicht. Ich gehe immer rund um das dorf, erklärte er mutlos, aber entschieden. Der hausknecht nickte, aber seine blicke und gedanken weilten im wirtshause. Wie viele kreise ha-

ben Sie schon um das dorf gezogen, fragte der oberlehrer messer-
scharf, und Franz zeigte bloß eine unbestimmte zahl mit beiden
händen, wobei ihm der sprechsack entfiel.

Schau, schau, ein sprechsack, meldete der oberlehrer, der beim
militär das melden gelernt hatte, was seine augen sahen, und alle
drei betrachteten stummen blickes den zu boden gesunkenen sack.
Da wollte sich der hausknecht nach diesem bücken, doch ein
windstoß kam ihm zuvor. Seit wann bückt sich der wind, fragte
der oberlehrer eher versonnen als höhnisch, und Franz nickte ergeben. Der hausknecht aber, weil er schon einmal in der bewegung
begriffen war, vollzog eine rolle. Er rollte ins schilf, und die hasen
stoben erschreckt auseinander, in rechtem hasenpanier. Gregor,
kam Franz dem unglücklichen mit einem tröstenden wort zu hilfe,
Gregor, du ertrinkst, wenn du nicht schnellstens wieder auf die
beine kommst.

So kam Gregor, der hausknecht, wieder auf die beine, und alles
war wohlauf. Oberlehrer Bauer lachte verstohlen (hatte er sich
doch gleichfalls im schilfe befunden – ein sogenannter befund, der
seinen widersachern nicht einsichtig zu sein schien); das gras
schien fetter zu grünen, die bäume – äpfel, birnen, nüsse, tannen,
fichten, föhren, haselnüsse, kirschen, buchen, erlen, vereinzelt fei-
gen und datteln (denn das dorf lag in der südsteiermark), eichen,
pflaumen und andere baumpflanzen – schienen schöner zu blühen,
die kühe melodischer zu muhen, die schweine rhythmischer zu
grunzen, die hunde harmonischer zu bellen, der himmel dunkler
zu blauen, die dächer intensiver zu röteln und die menschen nobler
zu weißen. Die dorfbewohner wie auch die kurgäste waren vorwiegend der weißen rasse angehörig. Eine bedachtsame ein- und
auswanderungspolitik sowie bedächtige befolgung der 12 gebote
hatten dieses herbeigeführt.

Der gemeinderat hatte in der 1. sitzung des neuen jahres seinen beschluß bekräftigt, dies dösende paradies nach kräften zu erhalten:
schwarze, rote, gelbe, braune, blaue und grüne, hamiten, semiten,
hetither, banditen, parden, langobarden, parias, angelsachsen,
welsche, großrussen, kleinrussen, weißrussen, rotrussen, ukrai-
ner, perser, serben, slowenen und montenegriner, kroaten, slowa-
ken, böhmen, tschechen und wiener, pariser und preußen, kärntner und schweden, ungarn, finnen, inder und deren kinder sollten
an niederlassung, praxiseröffnung, niederkunft, arbeitsniederle-
gung im falle des vorhabens ständigen oder unsteten aufenthaltes

unter der annahme, daß dieses wahr sei sowie unter der vorspiegelung, daß tatsachen falsch seien, gehindert werden; ausnahmegenehmigungen in besonders berücksichtigungswürdigen fällen, so bei betriebsneugründungen und spenden, kann allein unterzeichneter gemeinderat erteilen. Betteln, hausieren, wanderpredigen und raufen (außer an hohen kirchlichen feiertagen), teilnahme an öffentlichen aufläufen (außer bei unfällen), aufmärschen und demonstrationen (außer am 1. mai) und nicht genehmigten versammlungen (außer nach der sonntäglichen messe) werden desgleichen untersagt. Zuwiderhandelnde werden angehalten, abgemeldet, aufgeschrieben, abgeführt, abgestraft, eingesperrt, ausgewiesen, vorgemerkt, vorbestraft, hiemit vorgewarnt.

Inzwischen saßen Gregor, der hausknecht, und Franz, der hausgast, längst schon im gasthaus und ließen sichs schmecken. Ihr rückweg und -zug – nach jener eher unerfreulichen begegnung mit jenem oberlehrer – war ohne weitere vorkommnisse und vorfälle, anhaltungen und anstände, rasten, ruhepausen und anhalte vonstatten gegangen. Vor, während und nach der leberknödelsuppe tranken beide bier★ – Franz hatte seinen sprechsack abgegeben, Gregor seinen gürtel geöffnet –, zum schweinsbraten trank Franz weißwein mit soda, Gregor bier, zum reis trank Franz weißwein, Gregor bier, desgleichen zum gemischten salate: anschließend konsumierte jeder 3 schnäpse, 1 kaffee, bier und wein.

Ihre stimmung stieg wie ihre berauschung, ihr unmut sank wie der flüssigkeitsstand im bier- resp. weinglase. Sie zechten, erzählten einander zoten und andere begebenheiten, die wirtin war böse und machte das geschäft des tages, denn immer öfters ließ Franz, der bei Olga schon manchen in der kreide hatte, für die versammelten dorfbewohner – jene, die nach getanem tagwerk gut zu trinken wünschten – einen ausgeben. Als der gemeindesekretär sich zur runde gesellte, indem er den schankraum betrat, schien die stimmung kein ende nehmen zu wollen. Getreu dem wahlspruch: politisch lied ist kein garstig lied! forderte Franz diesen braven beamten zum scharfschnapsen heraus und gewann – durch den sonst eher einsilbigen Gregor nun aber wortgewaltig unterstützt – so manches pummerl. Olgas voller mund wurde breiter; das dorf – soweit es versammelt war – hörte auf.

★ Dieses wird auch vom böhmischen kochbuch (Katharina Prato) empfohlen.

Ich höre auf! drohte zwar der politische lakai ein über das andere mal; immer wieder aber ließ er den zum siegespreis erkornen krug füllen. Sein finsterer blick blieb an dem achtlos beiseite gelegten sprechsack haften. Aufgrund dieser grundsätzlich kontingenten wahrnehmung entspann sich folgender dialog.

Gemeindesekretär: Was wollen Sie mit dem sprechsack, sprechen Sie?

Franz: Das dorf vom oberlehrer befreien!

Gemeindesekretär: Das werden Sie noch vor gericht bereuen; will sagen: das wird ein gerichtlich nachspiel haben!

Franz: Was Ihr sagen wolltet, ist mir wurst, Olga, bring lieber was für meinen durst!

Olga: Noch ans? Host net scho gnua heit, Franz? Mei liaba Franz, mach kane tanz!

Franz: Olga, geh gusch!

Gemeindesekretär (höhnisch oder mitleidig): Bier ist nicht für den durst, sondern pflegt meist gegen ihn genossen zu werden –

Olga: Hoits söba, du tschusch!

Franz (der sich nun als italiener zu erkennen gibt, hausknecht und gemeindesekretär wechselweise umarmend, singt, nach der melodie des Mussoliniliedes «Giovinezza»): Genossen, genossen, bier und wein hab ich genossen –

Gemeindesekretär (kontert, nach den Anfangstakten des «Westerwald»): O–oh, du sakrischer Itaker, du –

Nun will auch der hausknecht nicht zurückstehen und intoniert lauthals, dabei sein jahrzehntelang still und süß gehütetes geheimnis preisgebend – nach der melodie von «I molti popoli avanti rosso ...»: Die beiden herren da, die saufn z'tod sie, dabei gebns unseran kan notign heller nie!

Ungläubige stille tritt im schankraume ein. Nach einiger zeit sagt Olga in diese stille hinein (mit kindlich-staunenden augen): Francesco!?

Franz (staunend): Gregor?

Gregor (erschreckt): Der herr oberlehrer!

Oberlehrer (der dem treiben schon seit einiger zeit im geheimen gelauscht und nunmehr unbemerkt den gastraum betreten hat, erstaunt tuend): Ich sehe, ich bin ja hier in einen rechten sängerstreit geraten: dabei wollt ich bloß speisen – (zu Olga) vielleicht einen schweinsbraten?

Olga (hört ihn nicht, noch immer außer der fassung): Franzl, tua ma ka schand an!

Gemeindesekretär (hingegen erleichtert, möglicherweise den Ausruf Gregors kommentierend): Erraten!

Franz (noch immer erstaunt und gleichzeitig freudig): Gregor, du kennst die melodien meines heimatlandes?

Oberlehrer (nochmals zur wirtin, knapp): A schweinsbratl, mit knödl und krautl! (Zu Franz, mit gefährlich glitzernden augen) Was wolltest du mit dem sprechsack, sprich?

Franz (zuckt zusammen, mißt dann den oberlehrer von mann zu mann und sagt, jede silbe betonend): Herr oberlehrer, Sie sind der dümmste hier, aber ihr schulrat, hinter den siebzigtausend metern bei den siebzigtausend betern, ist noch hunderttausendmal dümmer als Sie – denn er hat Sie ernannt, das ist mir wohlbekannt! (Dann, einen choral imitierend) Nimm hin mein sack, nimm hin mein sack, nimm hin mein saxofon, es ist mein ei, es ist mein ei, es ist mein eigentum! (Er wirft dem oberlehrer den sprechsack vor die beine und lacht teuflisch.)

Olga (schlägt die hände vors gesicht): A so a schand!

Gemeindesekretär: A so a schweinerei!

Franz (zu diesem höhnisch): Bist a vom oberlehrer beschult worden?

Gemeindesekretär (heftig, aber ehrlich): Na, mit mir nie!

Franz lacht wiederum teuflisch. Hausknecht Gregor singt die komplette «Internationale» auf portugiesisch.

Gemeindesekretär: Do schau i oba! Der is jo der tschusch! *

Oberlehrer (weist ihn zurecht): Der schein trügt. Die sprache ist romanisch und mit dem spanischen verwandt.

Franz (einen älteren italienischen schlager von Rocco Granata intonierend): L'autunno non è triste . . .

Olga (opportun zum gemeindesekretär): Na, do is ma no da steirische herbst liaba!

Oberlehrer (seine rechte reibend): Wie eiskalt ist meine hand!

Gregor (dem westiberischen seefahrervolk treubleibend): Bate o fado trigueirinha!

Franz (dem jäh die dialektik der situation zu bewußtsein schlägt): Gregor! Gregor! Du warst knecht! Von nun an sollst du herr sein! Herr Gregor! Darf ich Ihnen gegenüber meiner freude ausdruck verleihen über die tatsache unserer herbstlichen findung, vereint in der abwehr dieses unedlen gesellen (hierbei auf den oberlehrer zeigend).

Gregor (tonart und sprache wechselnd, doch mit eingeborenem

* Das portugiesische ist – oberflächenfonetisch – durchaus mit dem slowenischen verwechselbar, so daß des gemeindesekretärs fehlschluß rational rekonstruierbar wird.

stolz das volkslied zum besten gebend): I bin a steirerbua, steh auf in oller fruah, geh aufi auf den biachl und los dem kuckuck zua!

Der vertraute klang bringt Olgas lippen zum überfließen: Wes das herz voll ist, des geht der mund über!* Sie ergreift ein sektglas, das sie mit bier füllt, und Gregors partei, indem sie die im lied ausdrückbare komplementäre geschlechtsrolle übernimmt.

Olga: I bin a steirerdirn, i kenn mi aus mitn zwirn, i kenn mi aus mit da nodl und kenn mi aus beim liabn!

Oberlehrer (der seine stunde geschlagen sieht bzw. hört, zu Gregor): Herr knecht! Herr knecht! Darf ich –

Olga: Nix da: knecht! Wenn da Gregor a herr is, is er a ka knecht mehr. Jetzt ist der Gregor a herr. Ergo is er a ka knecht mehr!

Oberlehrer (gewandt): Dies wollt ich meinen. Herr Gregor Wetzler, wen werden Sie jetzt wetzen?** (Er versucht, seinem schlechten scherz durch tosendes gelächter den nötigen anstrich zu geben.)

Ein keuschler (erregt, aber hoffnungsvoll): Jetzt is aus mit da Marie; aus is mit da Märy!

Gemeindesekretär (den ordnungspolitischen gesichtspunkt nicht aus dem auge verlierend): Aber wenn frau Olga erklärt, daß Gregor kein knecht mehr ist, ist er entlassen!

Im saale herrschte verblüffung; gelächter, gerede und gesang waren jäh verstummt. Sollte der aufstieg des knechts zum herrn von so kurzer dauer und von einem so vollkommenen absturz, wie ihn eine entlassung bedeutet, gefolgt sein? Aber vorderhand ist nichts wirklich, vorderhand sind keine unverrückbaren konsequenzen eingetreten, vorderhand gibt es nichts als worte, die leichtfertig im suff geäußert worden waren, deren folgen aber noch ausstehen. Die logik des handelns aber, und seis des sprechhandelns, erfordert eine klärung der situation. Entsinnen wir uns des preußischen gardefilosofen, erinnern wir uns der dialektik von herr und knecht, wohl ließe sich auch von interaktion und arbeit sprechen. Daß sprechen jedenfalls kaum berge versetzt, entsprechende arbeit aber ohne mühe, wenn auch mühselig, ist unübersehbar. Ein lob des diskurses?

* Lichtenbergsche variante: Wessen mund voll ist, dem geht er über! Falksche variante: Wer sich den mund vollnimmt, dem kann die hose übergehen. Solchen krisen steuert der sprechsack.
** Dies ist eine rolle für Joe Berger, der hiemit gegrüßt sei.

Hier nun kann der titel dieser arbeit als dialektisches agens dienen: du, glücklicher hausknecht, heirate! Die politik der herren – seis von Habsburg oder von Hohenstaufen – steht auch entlassenen knechten gut an. Vorerst aber bedarf es eines untadeligen herrn, der solches zur sprache bringt. Oberlehrer Bauer sieht erneut seine stunde gekommen.

Oberlehrer: Um mich eines spanischen vergleichs zu bemüßigen: in dieser sekunde der wahrheit, in der Gregor, unser unvergessener hausknecht, steigt und stürzt, läßt sich nur eines sagen: tu felix serve domus nube! wie die lateiner zu sagen pflegen; zu gut deutsch: heirate, Gregor!

Herr wird man durch kooptation, wohl auch durch beilager, und Franz, hausgast und ehedem hausfreund, weiß ein bitteres lächeln über seine lippen aufziehen. Zum scheine stellt er die frage: aber wen? Da nur die wirtin zu haben noch ist, weiß jeder die antwort. Der pfarrer wird gerufen und der unweltliche teil der zeremonie vollzogen; auch verspricht der gemeindesekretär, tags darauf seines amtes zu walten.

Gregor sträubt sich nur wenig, denn was ein herr ist, das ein knecht war, muß unter das joch. Olga zeigt sich gelassen; zum hausgast äußert sie: Franz, moch da nix draus! Franz aber machte und machte sich den garaus. Kein sprechsack hat ihn begleitet.*

---

* Hiemit sei an den schlußsatz eines vielgelesenen liebesromans von J. W. Goethe erinnert.

Erich Fried

Kärnten: Gedanken an Maria Saal

Auf der Straße von Klagenfurt nach Maria Saal
der Heuwind.
Alte Höfe und Scheunen: die milde Verwitterung
von Holz und Stein
die im Sonnenlicht aussieht wie Frieden

Unwirklich fern der Streit um slowenische Sprache den
Touristen auf ihrer Fahrt von Burgen zu Klöstern und
doch auch dort:
Da spricht einer von Reformation
und Gegenreformation und Belagerungen
im 16. Jahrhundert . . . «Und gabs hier auch Bauern-
kriege?»
«Nein, hier in Kärnten nicht» antwortet einer.
«Doch, doch. Wer sonst hätte damals die festen Schlös-
ser und Klöster belagert?»
«Und warum heißt es dann ‹Nein›?»
«Ganz einfach: sie nennen sie nur Slowenenunruhen.
Die Bauern sprachen slowenisch
die Äbte und Ritter deutsch.»

Keine Unruhe auf dem Weg nach Maria Saal.
Die Gelassenheit der tausendjährigen Mauern
verbreitet Ruhe.
Vorbei an dem römischen Grabstein
vorbei an uralten Häusern des Kirchenbezirkes
hinein durch das Tor
in die Stille der Wallfahrtskirche

Weihrauch im halbdunklen Raum
und Kerzen flackern.
Das Gnadenbild ist bekritzelt mit alter Schrift
tief eingegraben quer über das Kleid Marias.

Wer hat sich so versündigt an diesem Gemälde?
Nein, nicht versündigt. Was hier geschrieben steht
in altertümlichen Lettern, das ist der Dank
für wundersame Genesung oder die Bitte
um die Heilung der Tochter oder der Kuh. Vielleicht
waren diese Verschandler des Bildes dem Bild näher
als ich.
Leise gehe ich einmal noch durch die Kirche
und wieder hinaus in den Heuwind von Maria Saal

Barbara Frischmuth

Österreich – versuchsweise betrachtet

Das Wort Vaterland stört mich in diesem Zusammenhang. Ich habe meinen Vater nicht gekannt, und wenn Vater so etwas wie Abhängigkeit impliziert, Abhängigkeit des Kindes insofern, daß es zu essen und zu bleiben hat, fällt mir dazu nur Mütterliches ein, aber ‹die› Heimat müßte ein für allemal neu definiert werden. Also bleibt ‹das› Land. Ist es Österreich? ‹Die› Stadt bedeutet für mich Istanbul. Aber ‹das› Land? Je ernsthafter ich darüber nachdenke, desto mehr schrumpft der Umfang dessen, worauf das Wort hinzielen soll, auf das Gebiet um Aussee zusammen, bis dann nur mehr Altaussee übrigbleibt. Die einzige Form von Patriotismus, die mir einsichtig ist, ist der Lokalpatriotismus.

Ich empfinde Österreich nicht vom Zug aus, sondern durch die wenigen Stellen in diesem Land, die ich wirklich bewohnt habe, Altaussee, Gmunden, Graz, Wien, Oberweiden ... Alles andere ist Theorie, die legale Annahme, daß eine gewisse Ähnlichkeit bestehen müsse zwischen diesen meinen Erfahrungen und Erfahrungen, die andere Österreicher an anderen Stellen dieses Landes machen.

Wie viele Definitionen dieses Landes habe ich mir nicht als Kind schon von ausländischen Hotelgästen anhören müssen, denen der Name Österreich urlaubsmäßig hell oder feuchtkalt in den Ohren klang, je nachdem, wie sie es mit Wetter und Quartier erwischt hatten. Selbst vor die Aufgabe gestellt, etwas zu diesem Land zu sagen, verläßt mich immer mehr der Mut, aus all diesem uneinheitlichen Stückwerk der täglichen Erfahrungen, aus all den konkreten Details auch nur einen, zumindest für mich verbindlichen Satz zu formen.

Woran würde ich wohl erkennen, daß ich in Österreich bin, wenn ich in einem Ort aufwachte, den ich zuvor nicht gesehen habe? An der Uniform eines Verkehrspolizisten, am Anstrich des Postautobusses, an den Autonummern oder daran, daß die Preise in Schillingen angeschrieben stehen? Aber selbst dabei wäre man in jedem größeren Fremdenverkehrsort Irrtümern ausgesetzt, die Mark gilt als Urlaubswährung.

Nochmals also die Frage: Wie sehe, wie empfinde ich Österreich? Städtisch-monarchisch, leidend an einem Übermaß an Geschichte, den Hochmut als Stückchen vom Hermelin ins Knopfloch gesteckt, die Trägheit in den Filzpatschen nachziehend, sozusagen hauptstädtisch? Hauptstädtisch in einem Ausmaß, daß selbst Politiker, die für das ganze Land, zumindest für die Wähler des ganzen Landes, die ihnen durch Stimmabgabe zu ihren Positionen verholfen haben, sprechen sollten, sich was darauf zugutehalten, zu reden, wie ihnen der hauptstädtische Schnabel gewachsen ist, mit ihrem Bezirksjargon nicht hinterm Arlberg halten und so die Massenmedien weniger zur Verbreitung neuer Ideen als zur Einführung des Wienerischen als Amtssprache mißbrauchen.

Empfinde ich Österreich als kleinstädtisch, provinziell, mit fassadenerneuerten Hauptplätzen, von Ost nach West erblühendem Geschäftsleben und perfektioniertem Austrian Look, der den Umweg über New York gemacht hat? Wobei zur Ehre dieser kleineren Städte gesagt werden muß, daß ihr Bedürfnis nach Kultur oft größer ist als das der Hauptstadt, oder anders gesagt: je kleiner die Stadt, desto größer das Ereignis. Sind Ried, Hartberg oder Mattersburg wahrheitsgetreuere Manifestationen dessen, was Österreich ist? Mich schreckt das Wort Provinz nicht. Im Gegenteil. Wo wenig ist, kann mehr gemacht werden. Ein Bewußtsein, das nicht ständig von Waren, die als Kultur verkauft werden, überreizt wird, hat oft mehr an entzündbarem Interesse zur Verfügung. Und genau das ist es, wovon das, was ich nun doch Kultur nennen will, abhängt: Interesse, das zu leidenschaftlicher Anteilnahme gesteigert werden kann, aus der heraus Selbermachen überhaupt erst möglich wird. Ich breche also eine Lanze für die kleineren Städte.

Oder sehe ich Österreich als rüben- und körndlbäurisch, mit Bibliothek im Gemeindehaus und Schwimmbecken für die Kinder, das winters zum Eislaufen benützt werden kann, als wohlhabendes Dorf im Marchfeld, das seine Straßenränder von einem Gartenarchitekten hat planen lassen, nicht aber seine Höfe, die in ihrer Geschlossenheit den Umgangsweisen ihrer Bewohner ähneln?

Oder sehe ich es hörndl- und bergbäurisch, die ehemalige Knechtkammer gegen Aufgeld und Mithilfe am Hof an einen weniger sonnen- als landschaftsschützerisch geblendeten Sommergast vermietend?

Rein emotionell, das heißt wunschmäßig, sehe, empfinde ich Österreich wahrscheinlich doch als alpin, wobei es mir weniger auf die Höhe der Berge als auf die Dichte der Wälder, die Unverbautheit der Seen ankommt und auf eine Art der Geselligkeit, die Frauen von jeher miteinbezogen hat, annähernd ausseerisch also, wie gesagt annähernd, denn wie wäre mir, wenn irgendwo wirklich alles wunschmäßig, österreichisch hergehen könnte, nämlich so, wie man es sich wünschte? Kinderfreundlicher, ausgestattet mit mehr Verständnis für den Wunsch der Frauen nach Geselligkeit, weniger ‹herrisch› im Sinne von Beamtenhierarchie bis latent patriarchal überhaupt.

Würde mich jemand mit vorgehaltener Pistole fragen, welche Profession ich für typisch österreichisch hielte, und mir für die Beantwortung nur drei Sekunden Zeit lassen, so daß ich nicht weiter nachdenken könnte, ich würde sagen: Schausteller, und es nicht abwertend meinen. Schließlich lebt man und frau hierzulande großteils davon. Der Tourismus wird fast ausschließlich von Touristen verdammt, die es nicht verwinden können, daß andere dieselbe Idee hatten.

Die Älpler stellen ihre Gegend, die Wiener sich und ihre Denkmäler zur Schau. Wer bei jedem Heurigen ein Original vorgeführt bekommt, mag sich wahrhaft nach den wenigen echten Querulanten sehnen, die einem anderswo begegnet sind. Die kleineren Städte aber sind nach wie vor dabei, sich auf jeden Fall sehenswürdig zu machen bzw. zu erhalten.

Schausteller stellen nicht nur zur Schau, sie verlangen auch Eintritt. An sich nichts Ehrenrühriges. Auch die Arbeit des Schaustellers ist Arbeit, und was für eine, kann man die in gastronomischen Betrieben Arbeitenden stöhnen hören. Aber was wäre der Schausteller ohne den Gegenstand, die Schau, die er zur Schau stellen kann? Und so sind sie ständig auf der Suche nach einander, der Wirt nach seiner Alm, der Kulturbeamte nach seiner Kultur, der Kulturmanager nach seinen Auftretenden. Inzwischen ist das Zurschaustellen und das Zurschaugestelltwerden uns allen zum Bedürfnis geworden. Wen sollte es da noch wundernehmen, daß der Staat Österreich jährlich so tief in die Taschen seiner Steuerzahler greift, um sich die Bundestheater leisten zu können, wo sie doch einem doppelten Bedürfnis entgegenkommen, nämlich auch noch dem Publikum des Zurschaugestellten die Möglichkeit zu geben, sich zur Schau zu stellen? Selbst das Gerücht, die Österreicher stünden in einem Du-Verhältnis zu ihrer Kunst, muß aus dieser Küche kommen, an deren Herd die ganze Schaustellerei sich die Finger wärmt.

Ich habe inzwischen wieder meinen ordentlichen Wohnsitz in Wien. Mehr oder weniger freiwillig. Was soviel bedeutet, wie daß ich den Großteil des Jahres in Wien verbringe. Und darin drückt sich für mich persönlich wiederum dieser Antagonismus aus, ohne den mir Österreich in Zukunft immer unvorstellbarer wäre, nämlich der zwischen Hauptstadt und Landschaft, zwischen ‹in der Stadt wohnen› und ‹auf dem Land sein›. Jeder dieser Zustände für sich genommen eine Unmöglichkeit auf die Dauer, aufeinander bezogen und in Wechselwirkung miteinander so etwas wie ein Bewußtsein des Landes, in dem ich lebe.

Man kann, wie ich immer wieder höre, überzeugter New Yorker, Pariser, gewiß Istanbuler sein, ohne je den dringenden Wunsch nach Hinterland zu verspüren. Ich kann mir kaum vorstellen, daß man derart überzeugter Wiener sein kann, ohne sich nicht zeitweise heftig zumindest auf den Semmering zu wünschen. Ob das die Rache einer relativ kleinen ‹country-side› an einer relativ großen Kapitale ist, weiß ich nicht; den Antagonismus jedoch empfinde ich nicht als aufreibend, eher inspirierend. Ich möchte sogar soweit gehen, dieses Gefühl für Landschaft, im Kontrast zu urbanen Phänomenen und umgekehrt, für ein Merkmal der gegenwärtigen Prosa in Österreich zu halten.

Gertrud Fussenegger

Sieben Notizen zum Gegenstand

I

Über Österreich schreiben? – Gut.
Aber
wenn ich nur wüßte,
              was, wie, wo
dieses Österreich ist?

Zwar: auf der Landkarte ist es leicht zu finden, es steckt seinen dicken Kopf tief in eine Bucht des Eisernen, immer noch eisernen Vorhangs und läßt sein dünnes Hinterteil munter westwärts schwänzeln; in den Geschichtsbüchern spielt es seine lange vielseitige Rolle zwischen Schlachtenlärm und Walzerorgien; im Spiegel seiner aktuellen Publizistik pendelt es zwischen Kassandrien und Juchheissien, sein Selbstbewußtsein changiert zwischen düsterem Polizeistaat und phäakischem Eden, zwischen AEIOU und der verzweifelten Suche nach dem zureichenden Grund seiner selbst.

Aber wie, was, wo Österreich wirklich ist, das weiß ich nicht, und immer, wenn ich mich danach umsehe, finde ich etwas anderes:

Im Burgenland, an Leitha und Wulka finde ich Ungarn, Ausläufer pannonischer Großräumigkeit; an Thaia und Pulkau hat Mähren das Wort. Im Innviertel finde ich Niederbayern, vom Norden her greift Böhmen über die Donau bis an die Voralpen. In Tirol und Salzburg geistert Oberbayern, und jenseits des Arlberg wird mir die Wahl schwer: Schweiz oder Schwaben? Über Kärnten und der südlichen Steiermark weht Südostwind aus dem Slowenischen, und was Wien betrifft und seine Ringstraße: wo ist da Österreich in diesem Stelldichein aus Rom und Hellas, Britannien und den Niederlanden? Das Riesenrad gibt knarrend kund, daß es der Familie Eiffelturm angehört, und was unseren derzeitigen Regierungschef angeht, er hat seine Gütemarke aus Skandinavien und vielleicht noch woandersher.

Was also ist Österreich und wo? Österreich, gibt es das überhaupt?

O ja. Ich muß nur ins Ausland fahren, dann merk ich's. Bin ich in Budapest, notiere ich Wien an allen Ecken und Enden; in Budweis läuft mir Linz über den Weg, und auf der Prager Kleinseite und rund um den Altstädter Ring: Herrengasse und Josephsplatz und Graben. In Verona geht Radetzky um, und im winzigen Torcello, der Keimzelle Venedigs, bekennt sich das alte Gemäuer zu Francesco Giuseppe, ohne ihn wäre davon nichts mehr vorhanden. In Wasserburg am Inn schaut mir das tirolische Hall urvertraut entgegen, und auf den Plätzen von Hermannstadt, Kronstadt und Mediasch im fernen Siebenbürgen: St. Pölten, Bruck und Wels; Kirchen und Schulen, Theater und Hospitäler zwischen Laibach und Semlin: die natürlichen Geschwister der Kirchen, Schulen, Theater und Hospitäler zwischen Kahlen- und Laaerberg, nicht zu vergessen die Bundesbahnverwaltungsgebäude und das gußeiserne Dekor an Straßenlampen, Säulen und Barometerhäuschen. Selbst in der Bucht von Kotor, dem alten Cattaro, und über den engen Serpentinen des Lofcen, auch über dem südkarpathischen Herculesbad: Österreich und immer wieder Österreich, ärarischmartialisch oder civil und musisch. Wohin ich reise, kommt mir Österreich nach, setzt sich zu mir an den Wirtshaustisch und bietet mir in den verschiedensten Sprachen und kühnen Verballhornungen Wiener Schnitzel und Wiener Apfelstrudel an. Und wenn ich sie bestelle – obgleich ich besser nach Landesbrauch griechische Musaka oder Coq à la Villeroi oder Flensburger Matjes bestellt hätte – und wenn mir dann in Athen das Schnitzel und in Flensburg der Apfelstrudel gebracht werden, dann freilich weiß ich, *hier* ist Österreich *keinesfalls*.

2

Über Österreich schreiben? Hartes Brot.

Zwar: wenn ich ein Autor wäre, der etwas auf sich hält, sollte es mir nicht schwerfallen, ich würde jetzt in die unterste Schublade meines Vokabulars greifen und nach den makabersten der mir verfügbaren Metaphern fingern. Ich würde meine kritischen Organe in die reizbarste Stimmung bringen, und alsbald wären ganze Sortimente saftiger Verdammungen hergestellt. Da quölle und wimmelte es von den pittoreskesten Adjektiven wie verkommen, verlottert, verjaucht und verfault, bestialisch, pestilenzisch, mephitisch und paranoid, möglichst jeweils im Superlativ; und es explodierte mein Text von greulichen Bildern, wie da sind: blöde tortenfressende Fratzen, wackelnde Wasserköpfe und tückisch lauernde Schläger, Armeen bürokratisierter Vampyre und Seelenverkäufer. Herr Karl ließe sich zitieren, aber auch andere ähnlich sympathische Herrschaften, kurzum: es ließe sich schon ein Mosaikbild Österreich legen, das einen Höllensturz à la Signorelli oder eine Gespensterzeichnung von Kubin noch weit überrunden könnte.

Freilich müßte ich mir sagen, daß ich bei der Herstellung eines solchen Bildes zwar meinen eigenen auktorialen Lüsten frönen und auf diese Weise auf meine Rechnung kommen könnte (denn welchem Autor kommt es nicht gelegen, die Mördergrube seines Herzens einmal auszukippen?), daß ich aber dem weit mühsameren Geschäft der Wahrheitssuche und der höchst undankbaren Forderung nach Sachlichkeit viel – und damit auch schon zuviel – schuldig bliebe – –

es sei denn, wir gingen von einem Satz aus und unterstellten ihn als Kern- und Grundsatz allem, was da ist, also auch Österreich (aber dann bitte auch uns selbst und unserer werten Person!), den Satz nämlich:
Wir leben in der schlechtesten aller möglichen Welten.

Dieser Satz kann nicht widerlegt, aber er kann auch nicht bewiesen werden.
Ihn zu akzeptieren oder abzuweisen, ist eine Sache der Person und deren inneren Haushalts.
Ich glaube nicht an ihn.
Und warum nicht?

Wir haben einen Nachbarn, der ein vorzügliches Mikroskop besitzt. Dann und wann führt er uns einige Präparate vor. Die Bilder werden an die Wand projiziert. Dann schaue ich stumm und schaudernd vor Entzücken auf die Landschaften einer Blattstruktur, in den Sternengarten eines Wassertropfens oder auf die grandiose Konstruktion eines Mückenflügels und bin geneigt, einem gewissen Herrn G. W. L. recht zu geben und seinem radikalen Optimismus über die zweieinhalb Jahrhunderte, die mich von ihm trennen, meine Reverenz zu erweisen, denn was ich da an der Stubenwand erblicke an Allerwinzigstem, Alleralltäglichstem, Trilliardenfach-Vorhandenem, es übersteigt alles, was ich in kühnsten Träumen und utopischen Entwürfen auszudenken imstande bin, und da will ich aufstehen und einfach sagen: Die schlechteste aller Welten –?

Aber was hat das mit Österreich zu tun?
Da mit allem, auch mit Österreich.

3

Ich nahm einmal an einer höchst offiziellen Diskussion teil über
Wesen und Wert unseres Landes.

Sehr geistreiche, wortgewandte Herren waren geladen und beherrschten die Szene. Mein Beitrag war höchst bescheiden, wenn
nicht kläglich. Und wie so oft, wenn man bei einer solchen Gele-
genheit versagte, wiederholt man sich später die Situation und
korrigiert sie in Gedanken: Was habe ich eigentlich sagen wollen,
was hätte ich eigentlich zu sagen gehabt? –

Nun also: der eine Herr pries Österreich als ein Land des
Rechts, der soliden Verwaltungstradition, der verläßlichen, ja so-
gar beispielhaften Ordnung. So habe es sich etwa schon in der
Mariatheresianischen Zeit bewährt ...

Ganz im Gegenteil, widersprach der andere Herr, Österreich
sei schon immer ein Land der Rechtsbeugung gewesen, ein Nest
der Korruption und Schlamperei, ein Unterschlupf kollektiver
Lebenslügen. So sei es schon in der Mariatheresianischen Zeit ...

Nun entbrannte ein Streit. Das gegenseitige Aufrechnen von
Gut und Böse schien mir nutzlos. Ich fühlte mich versucht, einen
dritten Aspekt ins Spiel zu bringen. Ich wollte sagen: Man kann
keine Sache, auch keinen Staat beurteilen, ohne ihn in Vergleich
zu bringen mit anderem ihm Vergleichbarem. Und ich wollte sagen: Was Österreich ist, ist mir nicht in Österreich aufgegangen,
sondern ganz anderswo, auf dem Top-Kapi in Instanbul, auf diesem merkwürdig willkürlich verbauten Gelände, halb Schatz-
kammer, halb Janitscharenquartier mit seinen teils barbarischen
und teils raffiniert luxuriösen Gebäuden, Prinzengefängnissen,
Folterkammern und Sultanpavillons, ein unüberschaubares Labyrinth; prunkvolle Innenräume, ganz übersponnen von einer zu
phantasmagorischen Träumen aufreizenden und zugleich einlul-
lenden üppigen Ornamentik, Brutstätten von Süchten und von
den einsamen Räuschen der Macht.

In diesen Serails also, da ging mir auf, was Wien ist, die Hofburg, Schönbrunn; vor allem dieses – mit einem Blick über-
schaubar, eine Offenbarung an Übersichtlichkeit; ratio, lex und
ordo. Auch hier pocht absolute Staatsmacht auf ihre Rechte, aber
sie sucht sich auszuweisen durch Gesetzlichkeit. Auch hier wird
Schmuckstil angewandt, doch geht er hinaus über Labyrinth und
selbstgenießerische Ornamentik, gipfelt jeweils auf zu organi-

scher Form, zu Putto, Genius, Gestalt, auf dem Weg über Allegorie zu Didaktik und Begrifflichkeit. Was da noch an Irrationalem mitschwingt: schon kontrolliert die Vernunft und leistet Kritik an sich selbst.

So war Österreich, so trug es sich vor – und war der andere Pol und die andere Alternative für ein großes Stück Europa, und so sah ich es dort auf dem Top-Kapi, und es kann kaum ein Zweifel sein, für wen ich Partei ergriff.

4

Parteiergreifen, also: Lieben.

Natürlicherweise: Lieben.

Was ist es denn anderes als Liebe, das freudige Wiedererkennen, wenn wir zurückkehren nach langer Reise etwa aus südlichen Ländern, sonnenbraun verbrannten, kahlgeschlagenen, und nun taucht unser Blick in lachendes Grün, Mattengrün, Wäldergrün? Was ist es denn anderes als liebendes Wohlbehagen, wenn wir sicher sind, daß wir in fast jedem, auch dem einfachsten Wirtshaus gut aufgenommen und ordentlich untergebracht sind (nachdem wir in anderen Ländern oft stundenlang herumirren mußten, ehe wir uns einem Haus anvertrauen konnten – oder wollten)? Was ist es sonst als liebendes Zutrauen, ich weiß nicht in wen und in was, trotzdem liebendes Zutrauen, wenn wir uns selbst in den Augen anderer für vertrauenswürdig halten, während uns in der Fremde stets ein doppeltes Mißtrauen wachhält, das eigene gegen die anderen und das vermutete Mißtrauen der anderen gegen uns, die wir dort Fremde sind. Mancherlei Anspannung weicht bei der Heimkehr und gibt Heiterkeit Raum. Ist das nicht Liebe?

Liebe schließt Kritik nicht aus, Liebe schließt Sorge ein. Unsere Zeit drängt uns Sorgen auf, schwere Sorgen, die den ganzen Erdball und die ganze Menschheit umfassen. Also auch dieses Land. Bis vor kurzem war es hier üblich, mit der Hoffnung zu spielen, allgemeine Gefahren könnten an unseren Grenzen haltmachen. Diese Weise klang mir schon immer verstimmt und peinlich, senil-infantil. Zum Glück verstummt sie allmählich. Noch vor zwei oder drei Jahren galt der Satz, die Kunst, ein Österreicher zu sein, bestehe vor allem darin, die Dinge auf sich beruhen zu lassen. Auch dieser Satz gilt nicht mehr im vollen Umfang. Allmählich breitet sich das Gefühl auch hier bei uns aus, daß der Mensch verantwortlich gemacht werden kann für sich, seine Zukunft, sein Land, seine Erde in einem Maße, von dem bis vor kurzem niemand eine Ahnung hatte. Hellhörigkeit wächst, nicht aber Tatbereitschaft. Sollte das neuerwachte Gewissen zu nichts anderem gut sein, als uns eine neue Masche zu binden, modisches Accessoir an einem altem Kostüm?

5

Ich möchte hier konkreter werden. Mir scheint, die allgemeine Problematik der Zeit probiert hier bei uns in Österreich drei spezielle Probleme aus. Das erste betrifft Wien, Wien als Stadt, was es war, was es ist und in Zukunft sein kann.

Jede Stadt ist eine Funktion ihrer Umgebung. In ihr schneiden sich Achsen des Verkehrs, des Handels, in ihr bilden sich Verwaltungsapparate, die das Umland mitverwalten. Je kleiner die Stadt ist, desto geringer wird das Feld sein, aus dem sie selbst resultiert. Ein weites Funktionsfeld wird die große Stadt zur Folge haben. Eine Metropole liegt im Schnittpunkt kontinentaler, womöglich globaler Achsen.

Wien entstand als Schnittpunkt der Verkehrslinien von der Ostsee zur Adria, vom Rhein-Donaudreieck in den Südosten Europas. Die Achsen, die sich hier kreuzten, waren von kontinentaler Bedeutung.

So entwickelte sich Wien zur Hauptstadt eines Großstaates. Und so kleidete es sich ein in repräsentative Architektur, in ein städtebauliches Grundschema imperialen Charakters. So versuchte es auch sein eigenes Image zu konzipieren, als einen eigenen typenbildenden kulturellen und zivilisatorischen Kosmos: das reicht von der Wiener Schule in der Medizin etwa und der Kunst bis zur Wiener Mode und dem hier schon erwähnten Wiener Schnitzel. Man leistete achsiale Existenz. Heute wird man kaum der Meinung sein können, daß die Achsen ungebrochen fortbestehen. Sie sind ostwärts und nordwärts bis auf Rudimente gekappt. Eine zentrale Lage hat sich in eine periphere verwandelt.

Das muß Folgen haben. Der Organismus der Stadt ist nicht ausgelastet. Er wird nicht ausgelebt. Es ist nur logisch, daß die Einwohnerzahl zurückgeht. Der Zuzug aus dem Osten, der Wien im vorigen Jahrhundert anschwellen ließ, ist abgeschnitten. Die Pracht und der Prunk alter Gebäude wird mehr und mehr zur Kulisse, der Aufwand, sie zu erhalten, kann beängstigen, die Pflicht zur Ästhetik wird überanstrengt.

Wie werden sich, so überlege ich mir, Schein und Sein auf die Dauer zur Deckung bringen lassen?

6

Eine andere Sorge betrifft das Land Österreich, vor allem das Alpenland, vor allem die Täler und die Orte, die vom Fremdenverkehr okkupiert sind, und die Menschen, die vom Fremdenverkehr leben.

Da haben wir kleine Städte wie Kitzbühel, da haben wir Dörfer in hohen Lagen wie Lech und Gurgl, und da haben wir die vielen Ortschaften im Kärntner Seengebiet, im Salzkammergut, alles in allem ein großer Teil unseres Staates. Es gibt Ortschaften, die ausschließlich vom Fremdenverkehr leben und, wenn die jeweiligen Saisons zu Ende sind, zu Gespensterdörfern veröden; und es gibt andere, die sozusagen eine Mischkultur haben: Landwirtschaft und kleine Industrien, mit Dienstleistungsbetrieben durchsetzt. Sie, so meine ich, sind in einer besseren Lage und die Menschen, die hier arbeiten, in einer natürlichen Situation.

Nun, wieso ist es eine unnatürliche Situation, Menschen zu beherbergen, zu bewirten, ihnen behilflich zu sein?

An und für sich nicht. Aber die Menschen, die diese Dienste in Anspruch nehmen, sind selbst in einer besonderen Lage. Sie sind Erholungsuchende, Urlauber, Leute, die, aus ihrem eigenen tätigen Alltag entlassen, Entspannung betreiben. Sie haben, daran ist nicht zu zweifeln, diese Entspannung nötig, die sie spazierengehend, schwimmend, sich in der Sonne aalend, schäkernd, flirtend, albernd und bei ausgiebigem Essen und noch ausgiebigerem Trinken an sich vornehmen oder vornehmen lassen, indem sie sich mit Liften und Bergbahnen hinauf und hinunter schaukeln lassen, indem sie Urlaubsfreuden und Urlaubssorglosigkeit sich selbst und anderen vorspielen, immerfort besorgt, nur ja gründlich genug zu regredieren, nur ja tief genug in eine Art Kindheitsparadies zurückzupendeln, in dem alle Verantwortlichkeit aufgehoben und aller Ernst abgebaut ist. Es geht, wenn wir uns mythologisch ausdrücken wollen, ein bacchantisches Element um, wobei sich dieses wieder in sehr verschiedene Grundelemente zerlegen lassen mag: so erinnert der über die Pisten jagende Skiläufer an nikische, der am Strand Tobende an najadische und priapische Grundmuster. Österreich, als klassisches – allmählich klassisch gewordenes – Erholungsland Mitteleuropas beherbergt in den jeweiligen Urlaubsmonaten ganze Völkerschaften in regressivem Zustand. Und – je gründlicher der Regreß – um so besser das Geschäft.

Daneben der Österreicher: er arbeitet in diesen Monaten des Fremdenansturms hart. Er verdient auch gut. Ein Angespannter und Leistungsbesessener weidet eine Horde Regressiver. Er weidet sie auch aus. Beziehungen zu knüpfen, Freundschaften zu schließen, dazu hat er in seltensten Fällen Zeit. Er hat oft genug nicht einmal Zeit für seine eigene Familie. Er darf sich für Wochen und Monate nur als Wirt, als Kellner, Skilehrer, Schwimmeister begreifen, als Werkzeug der Entspannungsindustrie. Zum Ort für Entspannungsindustrie wird die Landschaft: der See zum Planschbecken, der Berghang zur Rutschbahn, die Kirche zum Schaustück. Auch in Sachen Sex wird Service geboten. Das gehört dazu.

Es ist klar, daß sich unter diesen Umständen tiefgreifende Veränderungen ergeben müssen, nicht nur in der Landschaft, auch in der Haltung, im seelischen Haushalt der Menschen. Entfremdung greift um sich. Der Mensch in den alpinen Tälern hat viele Jahrhunderte lang karg gelebt. Jetzt wird er mit den großen Springquellen monetärer Überschwemmung konfrontiert. Er selbst mag jeweils nur ein bescheidenes Quantum ergattern, aber er erfährt die große Verschwendungswut unserer Gesellschaft, ohne daß er auch die harte Arbeit zu sehen bekommt, die diese Verschwendung erst ermöglicht. Sein Menschenbild verschiebt sich in Richtung verantwortungsloser Infantilität. So wird Menschenverachtung gezüchtet.

Nie war Menschenverachtung ein guter Boden für die Entfaltung der eigenen Person.

Wird sie einen guten Boden ergeben für das künftige Leben einer breiten Population?

7

Die dritte Sorge, die Österreich betrifft – auch sie bezieht sich auf den alpinen Raum. Diese Sorge wurde schon oft formuliert und in den Massenmedien vorgetragen. Ich wiederhole sie, da sie mir dringend erscheint.

Das Bauerntum schwindet im ganzen Land, am radikalsten im Gebirge. Während es denkbar ist, daß in anderen Zeiten, unter anderen Umständen (mit denen angesichts vitaler Interessen immer gerechnet werden muß) der Prozeß des Schwundes im Flach- und Hügelland gebremst und umgekehrt werden könnte, ist der Schwund in den höheren Regionen als irreversibler Vorgang anzusehen. Wir wissen auch warum.

In großer Höhe und bei starkem Gefälle des Geländes hat der Mensch immer und überall mit einem Partner zu rechnen, der sich nur mühsam bändigen läßt und der jeden Rückzug, jede Nachlässigkeit und jeden Fehler unerbittlich heimzahlt: es ist die natürliche Erosion, im Grunde nichts anderes und nichts weniger als die Wirkung der Schwerkraft ungeheurer Massen: Schwerkraft des Wassers, der Lawine, der Mure, des Felsens und bröckelnden Schotters, gigantische Energien; sie mähen den Pflanzenwuchs nieder, die schwemmen den Humus ab. Das erdgeschichtliche Ergebnis der Erosion: die Einebnung des Gebirges, die äonenlange Vorstufe: der kahle Fels, die zerrissene Steinwüste, die unfruchtbare Schotterhalde. Wir alle kennen solche Landschaften: in den südlichen Kalkalpen sind sie verbreitet, im Karst weithin dominant. Auch diese Gebirge waren einstmals begrünt, bewohnt, bis hoch hinauf kultiviert.

Diese Landschaften könnten uns warnen. Gewiß hat dort die rücksichtslose Schlägerung der Wälder die totale Katastrophe eingeleitet. Aber auch in unseren Hochgebirgstälern bahnt sich Gefährliches an. Auch hier hat der Mensch in den Haushalt der Natur eingegriffen, doch daneben, und indem er in und von dieser Natur lebte, ein dichtes Kontrollnetz gelegt. Er hielt die Schadenstellen, die von Regengüssen, Schmelzwassern, Stürmen, Lawinen und Muren unaufhörlich verursacht wurden, in ständiger Evidenz und besserte sie aus, sofern das mit primitiven Mitteln und schwachen Kräften möglich war, aber die Flickarbeit nutzte, weil sie bei kleinstem Schaden einsetzte. Auch der Viehtrieb auf die Almen wirkte in diese Richtung, denn das Vieh trat den Boden fest und stärkte die Grasnarbe.

Nun sollen die Almen aufgelöst, die oberen Höfe verlassen oder gegebenenfalls zu Almen umgewandelt werden. Auf diese Weise wird eine breite Zone menschenleer, die Kontrollorgane gegen die ewig nagenden, reißenden, aushöhlenden Kräfte der Erosion werden abgezogen. Die Verkarstung des Hochgebirges wird fortschreiten.

Man ist, vielfach leichten Herzens, bereit, bestimmte Zonen des Hochgebirges preiszugeben. Noch bleiben ja die Täler, so meint man, die breiten grünen Rinnen, wirtlich-einladender Boden, zumutbarer Lebensraum.

Aber die Schwerkraft wird vor den Tälern nicht haltmachen. Sie wird ihr Zerstörungswerk weitertreiben, durch die Nebentäler in das Haupttal, aus den steilen in die flacheren Gelände und über alte, längst kultivierte Aufschüttungen neue Schottermassen werfen, nicht heute, nicht morgen, aber in fünfzig, in hundert Jahren, sie wird endlich den Menschen aus den Alpen vertreiben. Aber – wer denkt so weit?

Das lohnt noch nicht.

Reinhard P. Gruber

Guggenbichler
oder
Ein Messer ohne Klinge,
dem der Griff fehlt

Fast unwillkürlich glitt seine Hand die glitschige Mauer herab, um sich am Geländer festzuhalten. Als er tatsächlich ein Geländer ertastete, zuckte er zusammen. Auf seinem Weg hierher war er mehr gerutscht und geschlittert als gegangen, eine Möglichkeit zum Festhalten hatte er noch nirgends wahrnehmen können. Jetzt war auf einmal ein glatter Steinboden unter seinen Füßen, auf dem man zwar leicht ausgleiten konnte, dafür aber ein – wenn auch morsches – Geländer, das ein Gefühl der Sicherheit vermittelte.

Der Nebel ließ nach. Guggenbichler nahm das Taschentuch vom Mund und sog in vollen Zügen kalte Moder-Luft in seine Lungen. Die Steintreppe wand sich in langen Biegungen in die Tiefe und wurde zusehends breiter. «Die Gehirnwindungen der Gruft», dachte Guggenbichler und wollte sich eben über die sich bessernde Sicht wundern, als er plötzlich erschauderte; das langgezogene Winseln eines Hundes drang über Hammer, Amboß und Steigbügel in seinen Kopf.

Guggenbichler hielt den Atem an.

Kein Zweifel – diese hohlen tierischen Seufzer waren der untrügliche Beweis dafür, daß es hier Leben gab. In seinem Inneren jubelte Guggenbichler: Er hatte es geschafft! Er war einfach drauflosgegangen, ohne viel zu überlegen, mit dem Mut eines Abenteurers, der sich sagt, wo so viele Tote sind, muß auch irgendwo Leben verborgen sein. Und er hatte recht behalten – er hatte es geschafft!

Guggenbichler folgte den Windungen der Treppe. Das Winseln wurde lauter und mehrstimmig. «Eine unterirdische Hundezucht!» schoß es durch Guggenbichlers Gehirn. Unversehens stand er in einem großen Saal. Eine unübersehbare Menge von kleinen Hundehütten tauchte im fahlen Licht auf. Guggenbichler traute seinem Auge nicht. Jetzt bedauerte er es, daß er sein linkes Auge bei einem Unfall mit einer elektrischen Schreibmaschine verloren hatte. «Diese Perspektive kann doch nicht stimmen», murmelte Guggenbichler vor sich hin, als er die Hundemeute erblickte – das waren keine Hunde, sondern eine Schar von Zwergen, die zwischen den Hütten hin und her rannten. Als sich Guggenbichler niederkniete, um sich die niedlichen Wesen ganz von der Nähe anzusehen, erschrak er: Diese Wesen waren so klein, daß er beim Betreten des Saales unbemerkt etwa vier oder fünf von ihnen zerquetscht hatte. Das Ungeheuerliche war aber ihr Aussehen – erwachsene Menschen in Mini-Format. Guggenbichler glaubte mehrere zu erkennen, die völlig gleich gekleidet waren wie er selbst, Zwerge, die noch dazu den gleichen Vollbart trugen wie er, die gleiche randlose Brille. Das waren Zweitausgaben von Guggenbichler!

Als er sich umsah, war Guggenbichler bereits von mehreren Hunderten Gnomen umringt, die ihm zuwinkten. Alle hatten sie kleine Blättchen in der Hand, mit denen sie fächelten. Schweißtropfen traten auf Guggenbichlers Stirn. Ein unüberwindbares Gefühl des Ekels überkam ihn: Die kleinen Männchen und Frauchen hielten Manuskriptseiten in den Händen – und Bücher. Eine Literatenkolonie! Guggenbichler mußte sich auf der Stelle übergeben. Die winselnden Gnome badeten in seinem Mageninhalt. Als er, von Panik ergriffen, ziellos durch die Halle lief, knirschten die Literaten unter seinen Füßen. Es war ihm egal. Er mußte raus hier, nichts als raus! Instinktiv rannte er auf eine große Tür zu, riß sie auf und schlug sie hinter sich zu. Im Spalt zwischen Tür und Boden sah er zwei zappelnde Beine. Mit einem wuchtigen Tritt zerstampfte er das Ungeziefer.

Wie war das möglich? Eher hätte Guggenbichler die Begegnung mit einem Vampir erwartet als diese lächerliche Zwergen-Szene.

«Ich bin weder Gulliver noch mag ich Fellini-Filme!» schrie Guggenbichler zornentbrannt. «Du bist Guggenbichler», erscholl plötzlich eine dröhnende Stimme aus einem Lautsprecher an der Wand, «dein Schicksal ist besiegelt! Du bist ins Innere vorgedrungen!»

Jetzt erst bemerkte Guggenbichler, daß er sich auf einer lautlos fahrenden Rolltreppe befand, die in grelles künstliches Licht getaucht war. «Und ich dachte, die winselnden Zwerge ...» – «Das ist der Wartesaal», meldete sich die Stimme wieder. «Du hast ihn mit eigener Kraft verlassen und dabei mehrere Nachwuchsdichter vernichtet. Jetzt sieh zu, wie du dich zurechtfindest. Es gibt kein Zurück mehr für dich.»

Guggenbichler bereute jetzt, daß er sein einziges literarisches Werk, seinen Heimatroman «Auge um Auge», nicht bei sich hatte. Wie sollte er sich hier ausweisen? Jetzt, wo er die Zentrale erreicht hatte? Aber ein Zurück gab es ohnehin nicht mehr. Außerdem war er hier offensichtlich schon bekannt, wie die Stimme im Lautsprecher bewies. Es hatte also doch etwas genützt, regelmäßig in der bekanntesten Literaturzeitschrift des Landes zu publizieren.

Die Rolltreppe führte ihn an verschiedenen Gängen und Türen vorbei. Ein Ende war jedoch nicht abzusehen. Es ging aufwärts, immer weiter und weiter, aufwärts ins Nichts. Guggenbichler spähte rundum und sprang mit einem Satz über die Treppe auf einen harten Kunststoffboden. Kein Mensch war zu sehen. Guggenbichler beschritt den nächstbesten Korridor – und landete bei einer Dampfkammer; «wenn hier Kommunisten gesotten werden ...» – «Hier gibt's nicht nur Kommunisten», grinste der stämmige Masseur, der sich plötzlich im Türrahmen aufgebaut hatte; «Sie befinden sich im Trainingslager für körperliche Autorensensibilität.» – «Aha, body-sensibility», sagte Guggenbichler laut. Er erfuhr, daß die begabtesten Autoren nach Abschluß des Trainingskurses – die Abendkurse seien übrigens bevorzugt – täglich bis zu fünf perfekte Schweißausbrüche schafften. Dies sei für eine Durchschnittskommunikation bei persönlicher Abneigung dem Gesprächspartner gegenüber unerläßlich. Der Umgang verfeindeter Spitzenautoren könne nur im Austausch gegenseitiger Schweißausbrüche bestehen.

Guggenbichler begann zu schwitzen; so streng hatte er sich die Umgangsregeln nicht vorgestellt. Er meldete sich für den nächsten Kurs. Als er das Vorzimmer zur Dampfkammer verließ, kam gerade der neue Staatspreisträger für Literatur herein. Er warf einen kurzen Blick auf Guggenbichler und bekam einen Schweißausbruch. Guggenbichler überlegte einen Augenblick, ob man ihn bereits zu den Spitzenautoren zählen konnte.

Bei seinem Rundgang durch das weitverzweigte Stollensystem lernte Guggenbichler eine Reihe von Anlagen kennen, in denen sich die berühmtesten Autoren des Landes ausbildeten. Es fiel ihm auf, daß mehrere Anlagen in zweifacher Ausführung installiert waren; so etwa das Realismus-Camp, das getrennte Eingänge für marxistische und sozialistische Autoren aufwies.

Gleich in der Nähe der Dampfkammer stieß Guggenbichler auf ein riesiges Selbsterfahrungslager, das außerordentlich dicht bevölkert war. Das war eine Fortbildungsstätte, in der sich die Ich-Erzähler zu professionellen Nasenbohrern entwickeln ließen. Im ersten Augenblick fragte sich Guggenbichler verwundert, warum mehrere von den Nasenbohrern sich zu ihm gesellten und der Reihe nach auch in seiner eigenen Nase zu bohren begannen. Die Selbsterfahrungsliteraten klärten ihn jedoch auf: Sie wollten nicht bloß bei ihrer Subjektivität stehenbleiben, sondern auch ihren Mitmenschen verstehen. Guggenbichler zeigte kein Verständnis dafür und eilte aus dem Lager. Er geriet schnurstracks in die Paranoia-Zone. Die Autoren, die er hier sah, zuckten bei jeder Begegnung mit einem anderen Menschen zusammen, um ihn gleich darauf zu beschimpfen – als gekauften Journalisten, als ORF-Redakteur oder als heimtückischen, literatursaugenden Verleger. Die einfacheren Fälle begnügten sich damit, ihren Frauen vorzuwerfen, daß sie Tag und Nacht von ihnen beschattet würden. Die Vorschulung der Autoren, so bemerkte Guggenbichler des öfteren, bestand darin, einem verdächtig freundlichen Hotelportier die Krawatte mit der Schere abzuschneiden, ihn anzubrüllen und sich mit einer Ohrfeige zu verabschieden.

Um nicht unangenehm aufzufallen, nahm sich Guggenbichler einen seriösen Beamten vor, den er als Spion der Fernseh-Unterhaltungsabteilung entlarvte; er sei wohl schon wieder unterwegs, schnaubte Guggenbichler, um ein Filmprojekt eines Autors aufzukaufen, das nie realisiert würde.

Als er die markierte Paranoia-Zone verlassen hatte, stutzte Guggenbichler. Es roch nach Geld. Eindeutig – unverkennbarer Geldgeruch bemächtigte sich seiner Nasenhöhlenwindungen. Guggenbichler betrat einen schmalen Seitengang und traf auf einen Torposten, der ihm den Zutritt zur Quelle des Geruchs verwehrte. Der Wächter wies mit einer Hand auf ein großes Schild: «Lieferanteneingang rückwärts». Guggenbichler griff in seine Tasche und steckte dem Mann einen Fünfzig-Schilling-Schein in die Hand. Er bekam heraus, daß er es mit dem Schatzmeister zu tun hatte, der den Honorarsaal bewachte. Die Schätze bestanden aus den Durchschnittshonoraren, die den Dichtern vorenthalten wurden. Rückwärtseingang gab es zwar keinen, erfuhr er, aber dafür wies ihn der Schatzmeister auf Grund des erhaltenen Schmiergeldes zu einem anderen Eingang. Preiskammer stand da in großen Lettern.

Guggenbichler öffnete vorsichtig die Tür und sah sich plötzlich einer Versammlung von neun Männern an einem großen runden Tisch gegenüber. Auf den zweiten Blick seines rechten Auges erkannte Guggenbichler, daß es sich um die Kulturreferenten der neun österreichischen Bundesländer handelte. Gleich mehrere von ihnen begrüßten Guggenbichler namentlich und freuten sich, ihm mitteilen zu können, daß er für einen Landesliteraturpreis vorgeschlagen worden sei. Das Gespräch mit den Kulturvertretern artete jedoch in einen Streit aus: Guggenbichler war gebürtiger Steirer, hatte einen Wiener Vater, verlebte die letzten Jahre in Salzburg und hatte seinen Heimatroman über Tirol geschrieben. Die Kulturreferenten konnten sich nicht einigen, welchem Bundesland der Vorzug zu geben sei, ihm den Literaturpreis zu verleihen. Mit dem Versprechen, daß er dereinst für den großen Staatspreis vorgeschlagen werde, wurde Guggenbichler wieder zur Tür gewiesen. Guggenbichler reagierte standesgemäß mit Schweißausbruch, Nasenbohren und Gesichtszuckung.

Der Seitengang, in den Guggenbichler geraten war, stellte offensichtlich die ökonomische Abteilung dar, denn schon auf der nächsten Tür prangte ein Schild mit der Aufschrift «Bibliotheksgroschen». Guggenbichlers Erwartungen waren nicht allzugroß gewesen; aber daß in dieser Halle mit den Bibliotheksgroschen Schuberlmeisterschaften von Finanzbeamten durchgeführt wurden, leitete bei Guggenbichler eine leichte Depression ein. Literaten waren bei den Meisterschaften nur als Zuschauer zugelassen. Niedergeschlagen schlich sich Guggenbichler in einen Lift und drückte auf den Knopf zum untersten Stockwerk. Mißmutig warf er einen Blick in eine Verweigerungszelle, in der zwei unbekannte Schriftsteller, die mit den gegenwärtigen Honorar- und Produktionsbedingungen nicht einverstanden waren, sich damit beschäftigten, nichts zu veröffentlichen. Das Bestseller-Büro nebenan war geschlossen. Es war schon vor Jahren ins Ausland verlegt worden.

«Ich warne dich, Guggenbichler», kam plötzlich wieder die bekannte Stimme aus dem Lautsprecher, als Guggenbichler erschöpft am Boden kauerte, «du bist mit nichts zufrieden. Für solche wie dich gibt es nur noch eines: den Abstieg ins unterste Inferno!»

Dichter Nebel überflutete Guggenbichler. Einen Moment lang schwanden ihm alle Sinne. Als sich die Schwaden zu verziehen begannen, wußte er, daß er in Trance versetzt worden sein mußte. Guggenbichler, der zuerst dachte, sein Glasauge habe ihm erneut einen Streich gespielt, öffnete sein rechtes Auge wieder und wieder. Das Bild an seiner inneren Gehirnwand veränderte sich nicht mehr. Es gab keinen Zweifel: Guggenbichler saß mit brennender Zigarette an seinem Schreibtisch, vor sich ein Glas Rotwein, und blickte aus dem Fenster seiner früheren Wohnung in der Karl-Morre-Straße. Er starrte das bekannte fünfstöckige Wohnhaus mit den wäschebehangenen Balkonen an, wo sich gerade die junge Frau vom fünften Stock mit dem Aufhängen von Windeln beschäftigte. In den Straßen rollten wie immer Autos vorbei. Guggenbichler mußte an die Luft. Er verließ die Wohnung auf dem gewohnten Weg über den Lift und trat ins Freie. Es war später Nachmittag, der Himmel war blau, und die Sonne neigte sich dem

Steinberg zu. Guggenbichler fuhr sich mit beiden Händen an den Kopf.

Er mußte sich getäuscht haben. Hatte er geträumt? Und wenn – was war der Traum? Was er jetzt sah – oder was er vorhin erlebt hatte? Fast automatisch ging er die Karl-Morre-Straße ein Stück entlang zur Straßenbahnhaltestelle. «Das unterste Inferno ...» fiel ihm ein. Guggenbichler zitterte. Es gab keinen Zweifel mehr – das war der typisch modrige Gruft-Geruch, der ihm am Beginn seiner Höhlenwanderung so in die Nase gestiegen war. Es war der Geruch der Verwesten, an den er sich schon so gewöhnt hatte, daß er ihn nicht mehr bemerkte.

Er setzte sich auf einen leeren Platz und sah durch die Scheibe des Wagens in den Himmel. Schweißperlen traten auf seine Stirn. Keiner der Fahrgäste benahm sich irgendwie auffällig. Es war unerträglich, der einzige zu sein mit dem Wissen, daß dieser blaue Himmel nichts anderes war als eine Projektion an einem Gruftgewölbe. Guggenbichler deckte sein Glasauge mit einer Hand zu und besah sich seinen Körper. Er konnte nicht glauben, daß er es selbst war, der in diesem Wagen der Linie 7 saß. Er hatte nichts gemeinsam mit diesen Leuten um ihn herum. Das war nicht mehr die Stadt, die er von früher kannte, als er noch als Nachwuchsliterat galt.

Wie in Trance zogen die Geschäftsstraßen an ihm vorüber. Die Häuserfronten gaben einen Blick auf den Uhrturm frei. «Das muß ein anderer Uhrturm sein», dachte Guggenbichler, «eine Projektion des Uhrturms.»

Alles war wie immer. Der Hauptplatz mit den Gemüseständen und dem Milchwagen, der Jakominiplatz mit den Würstelständen und Blumenläden ... aber immerzu und überall der Gruft-Geruch. Die Straßenbahn zog eine Schleife. «Endstation!» rief der Schaffner, als die Tram in St. Leonhard beim Krankenhaus hielt. Guggenbichler verstand.

«Unterstes Inferno ...» klang in seinem Kopf ... «Endstation ...» Guggenbichler überquerte rasch die Straße. Als er das Kaffeehaus betrat, war er schweißgebadet. Er erkannte den Kellner sofort wieder und zuckte zusammen. Guggenbichler setzte sich an einen freien Tisch und begann unwillkürlich in der Nase zu bohren. Mit zittrigen Händen ergriff er sein Bierglas.

«S..sschriftsteller?» lallte grinsend der betrunkene Gast nebenan.

Bernhard Hüttenegger

Diex

I

Diex ist der Ort mit den meisten Sonnenstunden im Jahr, Österreichs sonnigstes Plätzchen.

Die Ansiedlung liegt auf einem Bergrücken, der umgeben ist von anderen Bergrücken, darauf sind weitere Ansiedlungen, die nur aus ein paar Gehöften bestehen. Der Blick des Besuchers kann von Bergrücken zu Bergrücken hüpfen. Die Sonnenkugel versinkt jeden Tag in einem anderen der vielen dumpfen Gräben dazwischen.

Diex ist ein Wallfahrtsort mit spärlichem Fremdenverkehr. Die Wege sind nicht asphaltiert, und im Kaufhaus gibt es Aschenbecher, Vasen und Bierkrüge mit bunten Abziehbildchen, auch die Seehöhe ist vermerkt.

Die wenigen Häuser der Ansiedlung gruppieren sich um einen kleinen Dorfplatz, in dessen Mitte ein Baumdach Holztische und Bänke beschattet; gleich daneben ist die Wehrkirche.

Vor einiger Zeit war ich in Diex, um diesen sonderbaren Bau zu besichtigen. Die zweitürmige schiefergedeckte Kirche steht in einem Friedhof, umgürtet von einem Mauerwall. An dessen Innenseite führen hölzerne Laufgänge rundum, und das eisenbeschlagene Tor wird jeden Abend versperrt. Im Fall einer Bedrohung haben die Einheimischen sich ins Innere der Kirche zum Gebet, in den Friedhof und auf die Laufgänge zum Abwehrkampf geflüchtet.

Mit meiner Begleiterin bin ich durch den Ort spaziert. Zwei Frauen haben sich in slowenischer Sprache unterhalten, zwischen Krautköpfen, Salatblättern und Ribiselstauden, über den Gartenzaun hinweg. Und als wir näher gekommen sind, deutsch redend, haben die beiden Frauen ihr Gemüsegartengespräch in Deutsch fortgeführt. Obwohl es ein Zufall gewesen sein könnte, halte ich diese Episode eines Sprachwechsels für aufschlußreicher als jegliche zahlenmäßige Erfassung der unterschiedlichen Bevölkerungsgruppen.

Trotzdem fordern die Vertreter der Mehrheit mit übereifrigem demokratischen Zungenschlag nach wie vor, daß eine Minderheit sich gefälligst als Minderheit zu erkennen geben sollte; zuallererst hätten sich Angehörige einer Minderheit als Angehörige einer Minderheit zu deklarieren, danach dürften sie sich zu Wort melden und auf die Großzügigkeit der Mehrheit hoffen, das Wohlwollen abwarten. Sobald von einem Schwächeren erwartet oder gefordert wird, daß er inmitten von Stärkeren seine Schwäche einzugestehen hat, nennt man das eine Demutsgeste, dies ist nichts anderes als ein Ersuchen um Schonung.

Die Verhaltensforschung kennt Beispiele: In einem Rudel verlangt der Leitwolf immer wieder die Unterwerfungsgeste, die Gefolgstiere wälzen sich auf dem Rücken, bieten dem Gebiß des Häuptlings die ungeschützte Bauchseite dar und werden auf Grund dieser Hingabe geschont, anerkannt als Schwächere.

Damals habe ich in einer Keusche in der Nähe von Diex gewohnt, Bergbauern waren meine Nachbarn. Abends bin ich oft ins Dorfwirtshaus gewandert, um als stummer Gast zu sitzen, zu trinken und zu hören. Dort habe ich einen anderen Sprachwechsel erlebt. Die Einheimischen reden untereinander, lebhaft und heftig, plötzlich wechselt einer von Slowenisch auf Deutsch, oder umgekehrt, das geschieht alle paar Sätze, hin und her, als würden es die Sprechenden selbst nicht bemerken, – ein unwillkürlicher Sprachwechsel, durch den Zufall oder durch irgendwelche spontanen Anlässe, die nicht einsichtig sind, ausgelöst. Die Sprache ist wie ein Segel im Wind der Verständigung. Gern hätte ich dieses unentwegte Umkippen der Wortwände, das Flattern der Sprachfelder ausprobiert: ein geschicktes Dahinhüpfen, abwechselnd leichtfüßig auf dem einen oder dem anderen Bein, eine Bewegung voller Gleichgewichtssinn. – Eine elastische Begegnungsbrücke.

2

Von der Fahrt in das Karawankenbundesland habe ich eine bestimmte Vorstellung: Weite Landstriche weisen keine Ortstafeln auf, es gibt keinerlei Namensschilder am Ortsanfang oder Ortsende, nicht einmal Ortsnummern – was unter den divergierenden Einheimischen eine ratlose Beharrlichkeit, unter den immer spärlicher werdenden Fremden dagegen eine beharrliche Ratlosigkeit aufkommen läßt. Durchreisende werden Opfer einer örtlichen Irritation, einer topographischen Verwirrung, die jeden Schritt vor einem nächsten Schritt von vornherein als Verirrung kennzeichnet. Scharenweise sind Besucher am Stadt- oder Ortsrand versammelt, gestikulierend, disputierend, Landkarten, Reiseführer, Wörterbücher und sonstige Verständigungskrücken schwenkend, verheddert in endlosen Auseinandersetzungen um die Benennung des geographischen Standorts: Wo sind wir eigentlich?

Nach überraschenden zufälligen Übereinkünften jedoch könnten sich möglicherweise ausgesprochen polyglott anmutende Neubezeichnungen anschließen.

3

Um einen Überblick zu bekommen, bestieg ich den Burgberg. Im Burghof auf dem Gipfel ist das alte Burgtelefon zu betrachten: ein Sprechtrichter aus Blech, mit mehr als einem Meter Durchmesser. Die Empfangsstation der Nachrichten und Wünsche der Burgbewohner war die Meierei am Fuß des Berges. Wahrscheinlich wurde ein Blechtrichter hier, an das Ohr gehalten, zum Befehlsempfänger. Mit Mißverständnissen wird zu rechnen gewesen sein.

(Gewitter elektrisieren die vibrierende Atmosphäre. Windböen rauben die Silben. Schwalben durchschneiden Verbindungsdrähte mit ihren schwarzen Scheren. Mückenwolken, ekstatisch tanzend, ballen sich dazwischen.)

Zwischen die Zinnen kann man den Kopf stecken, vielsprachig in die Gegend schauen: in eine Landschaft ohne Wörter.

Franz Innerhofer

W.

W. ist nicht gleich vom Vater weg in die Stadt gezogen, sondern war, nachdem ihn sein Stiefbruder, ein junger aufstrebender Landunternehmer, der einer Arbeiterfamilie entstammte und zu dem er voller Hoffnung vom Vater geflohen war, abgewiesen und ihm gesagt hatte, daß er ihn nicht in seinem Betrieb beschäftigen könne, auf halbem Wege zwischen der eigentlichen Stadt und dem Wohnort seines Vaters ratlos und verzweifelt bei seiner werktätigen Mutter am Rand einer Kleinstadt gelandet. Er war da, er lebte, aber der gesamte Mensch, der von Kind auf im Betrieb seines Vaters gearbeitet hatte, war durch die Züchtigungen und all die kopflosen Reden, die er hatte über sich ergehen lassen müssen, niedergewertet und trug eine enge, unverstandene und gehaßte Welt in sich. Die verlassene entsetzlich vertraut, die neue schrecklich fremd. Alles, was er von Vater und Stiefmutter gelernt hatte, war dieses blöde katholisch-alpenländische Ertragen von Härten und Hinnehmen von Schmähungen und Erniedrigungen. Eine jämmerlich bezahlte Arbeit in einer kleinen Landfabrik war bald gefunden. Abends und an Feiertagen konnte er bei der Mutter essen, schlafen auch, ebenso versorgte sie ihn mit frischer Wäsche. Da die Mutter nie in ihrem Leben zu etwas anderem Zeit gehabt hatte, als sich das Notwendigste für ihren Unterhalt zu verdienen, konnte sie ihm die Welt, in die sie ihn hineingeboren hatte, nicht erklären. Daß ihm nichts geschenkt werden würde, hatte er selber schon begriffen. Hoffnung und langjähriges Ziel seines Ausbruchs waren auch nicht sie, sondern der Stiefbruder und dessen Unternehmer gewesen. Sie waren ihm fremd, denn er hatte sie wie die meisten von einem Elternteil ausgebeuteten Kinder nur selten besuchen dürfen. So suchte er, was ihm als Kind entgangen, unter den Fremden und wurde schon bei der geringsten Freundlichkeit verlegen, verwechselte sofort die Interessen und glaubte, alle Menschen wären ihm auf einmal wohlgesinnt. Das Geld, das er für seine Arbeit bekam, reichte, um seinen Lebensunterhalt bestreiten zu können. Die Hälfte seines Lohnes zahlte er der Mutter für Quartier, Essen und sonstigen Haushaltsaufwand. Für die andere Hälfte hätte er sich ein warmes Wirtshausmittagessen, Vormittagsjause, Arbeitskleidung kaufen und sich nach und nach überhaupt neu einkleiden können. Das Wenige, das er von seinem unfreiwilligen Zuhause zum Anziehen mitgebracht hatte, war abgetragen und zu klein geworden. Um die Mutter nicht allzusehr zu erschrecken, log er, daß er genügend Taschengeld gespart habe und ohne Schwierigkeiten bis zum ersten Zahltag damit auskomme. In Wirklichkeit war ihm nur so viel geblieben, daß er sich nach der Arbeit zwei Bier kaufen konnte. Statt zu Mittag zu essen, ging er im Ort spazieren. Vormittags, während sich die anderen im Aufenthaltsraum stärkten, drückte er sich auf dem hinteren Fabriksgelände herum. Am Zahltag war er so aufgeregt, sein erstes selber verdientes Geld in Empfang nehmen zu sollen, daß ihm gar nicht auffiel, wie mißtrauisch und mürrisch viele andere dies bereits taten. Einige Stunden später hatte er das Geld beim Kartenspielen an Fuhrunternehmer verloren und wollte sich in den Fluß stürzen, wurde aber, als er glaubte, endlich mit sich und der Brücke allein zu sein, von einer Gruppe junger Männer, die, als sie näher kamen, ihn als ihren Arbeitskollegen erkannten, überrascht. Er lachte und sagte, er habe schon geglaubt, Polizisten kämen auf ihn zu. Er müsse jeden Tag zweimal über diese Brücke, aber noch nie habe er es geschafft, sich auf ihr in Ruhe das Wasser abzuschlagen. Sie kamen gerade aus einem Lokal und wollten ihn ins nächste mitnehmen. Mit Ausreden, die sie ihm nicht abnahmen, machte er sich von ihnen los und ließ sie im Glauben, daß er zu seiner Freundin wolle. Auf dem Weg nach Hause fiel noch einmal der ganze innere Redeschwall, der ihn schon nach dem Verlassen des Wirtshauses überfallen hatte, tüchtig über ihn her. Dieser Redeschwall, dem er schon als Kind hatte entrinnen wollen. Es war aber zu finster in ihm, um sich von den Gedanken an sein Mißgeschick, dessen Schuld er sich zur Gänze selber zuschrieb, losreißen zu können. Auch die Landschaft, durch die er in seinen tiefen Verzweiflungen ging, war finster und hatte es nie zu etwas anderem als zu einer rohen und ausgelassenen Heiterkeit gebracht. Die bäuerliche Gemeinschaft, deren Gehöfte zu beiden Seiten des Tales bis zur unteren Waldgrenze hinaufreichten, war gebrochen und durch das ständige Abwandern in Verdruß und Schweigen gestürzt. Unten im Tal und an den Hängen hatten die Bewohner, die sich rasch dem Fremdenverkehr und der mit ihm aufkommenden und vielfach nur mit dem Fremdenverkehr zusammenhängenden Industrie zugewandt hatten, unter viel Verzicht neue Häuser in die Landschaft gebaut und taten es immer noch. Das Leben hatten sie dabei auf den Kopf gestellt.

Sie sprachen nicht über dieses Leben, sondern von der Arbeit, die sie verrichteten, von Dingen, von Leistung und Ausdauer. Daß sich immer wieder welche von ihnen umbrachten und bei Selbstmordversuchen ertappt wurden, merkten sie zwar, lasen es in der Zeitung und sprachen auch davon, wo dieser Mensch zuletzt noch überall gesehen worden war, aber sie empfanden es nicht als Verlust, sondern gingen schnell dazu über, die Lücke, die ein solcher Mensch im Arbeitsprozeß hinterlassen hatte, durch einen anderen zu füllen.

Die Leute, die in der Stadt das Radioprogramm für das Land planten und zusammenstellten, kannten das neue Land von der Durchreise und von Aufenthalten, pflegten aber noch immer eine alte, bäuerliche Landschaft, in der die Menschen mitfühlend und in Geborgenheit lebten. Wenn es diese Rundfunklandschaft gegeben hätte, wäre kein Landbewohner auf die Idee gekommen, aus ihr wegzugehen, geschweige denn in ihr zu bleiben und sich in ihr, ohne eine Auskunft zu hinterlassen, umzubringen.

Eine Weile schwankte W., ob er nicht umkehren und zur Brükke zurückgehen sollte. Er blieb immer wieder stehen. Wenn nicht überall Zäune wären, kam ihm vor, könnte er auf Gedeih und Verderb in irgendeine Richtung davongehen. In der Gleichgültigkeit, in der ein Mensch mit sich nichts mehr anzufangen weiß, torkelte er aber doch in die Richtung des Hauses, in dem seine Mutter wohnte. Er wartete in der Nähe und betrat es schließlich, als ihm schien, daß Warten auch keinen Sinn hätte. Die Mutter, die sich freute, daß er schon so bald gekommen war, setzte ihm das Nachtmahl vor und war neugierig, wie die Bezahlung ausgefallen war. Er konnte es ihr nicht erklären, warum er nicht den Mut gehabt hatte, die Vertraulichkeit abzuweisen, mit der ihn die Fuhrunternehmer, die ihn die Abende zuvor nur mit Blicken beachteten, auf einmal angesprochen hatten, und zu sagen, er spiele nicht Karten und schon gar nicht um so hohe Beträge. So gab es Tränen und Verdruß. Alles, was er tun konnte, um sich den Aufenthalt in der Wohnung erträglicher zu machen, um von der ausweglosen, erdrückenden Stimmung, in der seine und ihre Gedanken befangen waren, abzulenken, war Radiohören und Zeitunglesen. Um den Verdruß nicht zu vermehren, sagte er auch nicht, wie es um ihn stand, sondern schleppte sich über die Brücke in die Fabrik, arbeitete und ging mit knurrendem Magen den Kollegen in den Pausen aus dem Weg.

Er war aufgebrochen, um zu leben, aber die mühsame Arbeit in Gedanken und inneren Monologen, die W. sich im Betrieb und im Haus seines Vaters gemacht hatte, um das, was über seine Person

gesagt wurde, und das, was er von sich selber dachte, auseinander-
zuhalten, war nach einer halbstündigen Zugfahrt im Haus seines
Stiefbruders endgültig zusammengebrochen. Er kam ja nicht zu
Sussak, um ihn um Geld anzugehen, sondern brachte sich, sein
Leben mit und wollte ihm einen Teil davon verkaufen. Er hatte
sich ganz auf Sussak eingestellt und nicht damit gerechnet, daß es
ihn in diese Kleinstadt, in der er schnell zum Gefangenen seines
früheren Jammers wurde, verschlagen könnte.

Früher hatte er Gegner, mit denen auseinanderzusetzen es sich
lohnte. Jetzt hatte er nur noch sich und seine Unzulänglichkeiten.
Er sah nur sich und ging nur gegen sich selber vor. Es fehlte ihm
nicht an Vorsätzen, sich zu ändern, aber die geringste Vertraulichkeit genügte, um von seinen heimlichen Versprechungen abzu-
kommen. Das wußten die anderen. War doch das gegenseitige
Sich-vom-Heimgehen-Abbringen und das Anhängen von Räuschen die hauptsächliche Unterhaltung in den Wirtshäusern.

W. wurde oft rückfällig.

Sein Überleben hing auch nicht von seinem Willen ab, sondern
davon, ob immer gerade dann, wenn er sich über das Brückenge-
länder in den Fluß stürzen wollte, Leute auf die Brücke zukamen
oder im letzten Moment Autoscheinwerfer auftauchten, so daß er
sich später oft ganze Abende in Wirtshäusern kopfschüttelnd nur
über diese Zufälle wunderte, und einige Wirtinnen, die ihm kopfschüttelnd zuhörten, wunderten sich auch, vergaßen aber nicht,
während er von seinem selbstmordbedrohten In-die-Stadt-Kom-
men erzählte, ihm zwischendurch das Glas zu füllen, was er spätes-
tens, wenn er das Lokal betrunken verließ, auch merkte.

Kennengelernt hatte ich W. in der Folterknechtstube. Was mir sofort an ihm auffiel, war, daß er mit seiner Person gut umgehen
konnte. Was einer meiner früheren Bekannten, um mit seiner viel-
fältigen Existenz niemanden zu erschrecken, durch Ruhe und mit
Hilfe von Betrachtungen und allgemeingültigen Aussagen erreicht
hatte, gelang W. durch ständiges Wechseln des Erzählorts, vor-
ausgesetzt, daß sein Begleiter ein interessierter Zuhörer war.

Wirtsleute der älteren Generation, die noch mit einem beschüt-
zenden Blick auf ihre Gäste geschaut hätten, seien darauf aufmerksam geworden, daß er, W., in Gefahr sei. Diese Wirtsleute hatten,
nachdem er mit Selbstmordgedanken vom Kartenspieltisch aufge-
standen und aus dem Wirtshaus gegangen war, gehört und gesehen, daß es den Fuhrunternehmern Spaß machte, einem Wehrlo-
sen den Lohn abzuknöpfen. Die Wirtsleute hatten ihn daraufhin
mit Mühe davon abgebracht, weiter mit den Fuhrunternehmern

Karten zu spielen. «Dann ist es auch so, daß der Mensch auf dem Land in seiner Freizeit schon lange nicht mehr in Ruhe, sondern mit Gewalt konsumieren muß.» So habe es ihn schließlich unter die freiwilligen Rettungsfahrer verschlagen. Einfach um beschäftigt zu sein.

Der freiwillige Rettungsfahrer ist auf dem Land allein. Im tiefsten Winter muß er allein zu den höchstgelegenen Bauern hinauf. Und das oft in der Nacht. Das ist nicht nur schwierig, sondern kann auch schwere Folgen nach sich ziehen. In vielen Fällen kann man den Hof gar nicht erreichen. Ihr geringes Einkommen hindert die Leute, rechtzeitig Arzt und Rettung zu verständigen. Dann ist es nicht nur so, daß der Rettungsfahrer Schreckliches erlebt, sondern oft auch in schreckliche Situationen gerät. Die wenigsten wissen nämlich, daß er für den Tod eines einzuliefernden Patienten zur Verantwortung gezogen werden kann. «Es ist nicht lustig», sagte W., «einen Toten im Auto liegen zu haben und dann auch noch hinter dem diensthabenden Arzt herwinseln zu müssen.» Ob ihm der Tote abgenommen werde oder nicht, hänge nämlich vom diensthabenden Arzt ab. Der ganze freiwillige Dienst hänge dann einfach vom Charakter des diensthabenden Arztes ab. Manche Ärzte hielten sich die freiwilligen Rettungsfahrer wie Hunde. Auf verlassenen Bergbauernhöfen sei es oft so gewesen, daß er schon bei der Ankunft gesehen habe, daß es zu spät sei. In einem Fall habe er schon nach fünf Minuten eine tote Bäuerin im Auto gehabt.

W. hätte mich natürlich sofort als Zuhörer mißbrauchen können, tat dies aber nicht, sondern baute sich vielmehr seinen Zuhörer sorgfältig auf, indem er zuerst nur über die Bar, an der ich einem verbitterten Nationalsozialisten den Rückstand der Literatur, insbesondere das völlige Mißachten und Verkennen der Welt der Institutionen, auseinandersetzen wollte, einige Bemerkungen über das Land machte, die mich sofort aufhorchen ließen. Über die Wirtin erfuhr ich dann, aus welcher Gegend er kam. W. erzählte über Widersprüche hinweg und brach seine Geschichten immer wieder ab.

Seine Rettungsgeschichten, die er so erzählte, daß mir vorkam, ich sei selber einer der freiwilligen Fahrer, zeigten ja nicht nur den existenzbedrohenden Charakter der ländlichen Gesundheitspolitik, sondern führten mir erneut in aller Deutlichkeit vor Augen, daß es bei den Bergbauern ganz einfach ums Überleben geht. Sobald ich anfing, W. mit Fragen zu bestürmen, weil ich vor lauter Wut über einen scheinbar unveränderbaren Gesellschaftszustand nicht länger zuhören wollte und konnte, stand er auf, brach seinen

Bericht ab und entfernte sich. Er kam dann oft Tage nicht in die Folterknechtstube, wo ich auf ihn wartete.

Seine Geschichten fingen immer leicht an und tänzelten um Vater, Stiefbruder, die Frau des Stiefbruders, Stiefmutter, Kindheitsarbeitslager und Fuhrunternehmer, die alle auf einer weiteren Ebene zusammen mit vielen anderen seinen sentimentalen Zustand mit einem neuerlichen Terror bedrohten. Er sprach langsam und lachte zwischendurch. Unsicher wurde er eigentlich nur, wenn er auf die Zufälle zu sprechen kam, die er sich nicht erklären konnte. Die Brücke z. B., über deren Geländer er sich oft in den Fluß hinunterstürzen wollte.

Im Gegensatz zu anderen meiner Bekannten, die aus ihrem kleinbürgerlichen Kessel nicht herauskamen und verzweifelt nach einem sie erfüllenden Leben suchten, zog er ständig größere Kreise um die Orte seines Schreckens und wurde dabei immer einsamer und sicherer.

Sowohl in der Stadt als auch auf dem Land sei er fast dreißig Jahre lang beinahe umgekommen. Mit Vorsätzen habe er sich von einer Bedrohung in die andere gemartert. Die Angst, wegen eines tot eingelieferten Patienten ein Verfahren angehängt zu bekommen, habe ihn plötzlich wieder an den Kartenspieltisch getrieben. «Dann vom Kartenspieltisch mit leeren Taschen hinaus in die Nacht. Mit dem Gedanken, mich endlich umbringen zu müssen, zur Brücke, die wieder nicht frei ist. Und in der Früh nach zufällig überstandenem Selbstmord in die Arbeit. Und immer spielen. Mit knurrendem Magen arbeiten und in den Pausen auf dem Fabriksgelände den Naturinteressierten spielen, um nicht, ohne etwas zu essen, unter den Kollegen im Aufenthaltsraum sitzen zu müssen, denn auf dem hinteren Fabriksgelände zu verhungern, wäre mir leichter gefallen, als den Kollegen gestehen zu müssen, daß ich kein Geld habe.»

Dadurch, daß W. immer nur in kurzen Abschnitten erzählte und dabei so tat, als sei eigentlich nichts mit ihm geschehen, wurde seine Existenz für mich immer bedrohlicher und gefährdete, was ich mehr als ein Jahr lang über Arbeiter gedacht und geschrieben hatte. Ich wollte von ihm nicht hören, daß Kollegen unter der Belegschaft gewesen waren, die er in Wirtshäusern oft freigehalten hatte. Die hätten auch gewußt, sagte W., warum er in den Pausen zum hinteren Fabriksgelände zurückgegangen sei. «Hunderte Male hätten sie mich mit einem einzigen Wurstbrot in die Knie zwingen können.» Es hätte nur einer hinausgehen müssen und es ihm hinhalten, und er, W., sagte er lächelnd, wäre ihm das ganze Leben lang zu Dank verpflichtet gewesen. Aber in all den Wochen und Jahren, die er auf dem hinteren Fabriksgelände verbracht habe, sei keiner der Kollegen gekommen.

«Sussak, mein Stiefbruder, ist eine ausgekochte Aufsteigerbestie.» Es sei schwer, sich an die Tatsache zu gewöhnen, daß manche Arbeiter zu den brutalsten, rücksichtslosesten Ausbeutern würden. Ein Gastwirt, der so viel besitze, daß er und seine Frau mit dem Besitz nichts mehr anzufangen wüßten, zähle ihm ganze Abende lang auf, was im Kommunismus alles besser sei. Aber die jungen Leute, die der Gastwirt im Kommunismus bestärkt wissen wolle, hielten nicht nach Verbesserungen ihres Lebens Ausschau, sondern spähten nur nach Möglichkeiten, wo sich ein Unternehmen aufziehen ließe.

Die kommunistische Zeitung werde nun schon in verschiedenen Haushalten gelesen. In dem Gasthof, in dem er jetzt arbeite, liege die kommunistische Zeitung oft schon einen halben Tag, in einer oder mehreren Zechstuben, bis die Wirtin dann wieder hinzukomme und sie wegwerfe.

Es sei mit ihm immer wieder hinuntergegangen.

Er sei immer gegangen, immer auf der Suche nach einem Ausweg. Zurück sei er nie gegangen, sondern nur hinunter. Zurück habe er nicht können, nach rückwärts könne sich auch niemand befreien.

Gert Jonke

Festansprache

Meine lieben Damen und Herren!

Umwälzende Veränderungen bahnen auf allen Linien sich an! Immer wieder gilt es, neuerlich die Frage zu stellen: Wer sind wir eigentlich? Wer waren wir? Was wollen wir? Was soll hinkünftig weiter aus uns werden?

Einige von Ihnen werden sich noch gern an die guten alten Zeiten zurückerinnern, als es um unsere Köpfe noch ganz still gewesen war, kein Ton, alles ganz ruhig. Dann aber hat eines Tages alles ganz leise begonnen. Ich erinnere mich noch gut und gern, meine Gemahlin und ich saßen eines Nachts beisammen und lehnten unsere Köpfe aneinander, sei es aus zärtlichen Gründen, sei es, daß sie uns so schwer geworden waren, daß wir sie einander stützen wollten. Da meinte ich, hinter ihrem Kopf eine Art rauschendes Singen oder singendes Rauschen vernehmen zu können und sagte zu ihr, da ich zunächst ganz der Meinung gewesen war, die Dienstboten hätten schon wieder einmal das Radio abzustellen vergessen: «Die Versorgung der Bevölkerung mit Musik durch den Sender Rotweißrot ist wirklich vorbildlich!»

«Wie kommst du denn nur darauf», fragte meine Frau darauf.

«Weil ich das Radio höre, obwohl ich längst schon den Sendeschluß vermutet hätte», antworte darauf ich.

«Da läuft kein Radio mehr», sagte meine Gemahlin, «das kommt, ich höre es deutlich, direkt aus deinem Kopf heraus, mein Lieber!»

Sie hatte recht, nur war ich zunächst durchaus der Meinung, nicht aus meinem, sondern vielmehr direkt aus ihrem Kopf käme das rauschende Singen, beinahe wäre ein heftiger Streit entbrannt, aus welchem unserer beiden Köpfe es denn so singend herausrausche oder rauschend hervorsinge, bis wir beide dann endlich erkannten, daß sowohl aus ihrem als auch aus meinem Kopf Verschiedenes vernehmbar wurde, ähnlich wie aus einem Kofferradio, das eines Batteriewechsels dringend bedurft hätte. Gottseidank waren wir dann bald in der Lage, die Musik aus unseren Köpfen in der Klangqualität zu verbessern, zu steuern.

Wir beide waren damals natürlich nicht die einzigen geblieben, vielen Verwandten und Bekannten war ähnliches widerfahren. Unsere Köpfe waren plötzlich in die glückliche Lage versetzt worden, verschiedene Geräusche, Musik und auch gesprochene Sätze deutlich wie aus einem Lautsprecher hörbar werden zu lassen und hervortönend weiterzuverbreiten, vor allem natürlich Musik, in geringerem Maße verschiedene Arten von Nachrichten, ja, viele Menschen waren plötzlich in der Lage, ständig zu reden, ohne auch nur einmal den Mund aufmachen zu müssen, der sich hinkünftig voll und ganz seiner eigentlichen Hauptfunktion, der Nahrungszufuhr, zuwenden konnte. Natürlich waren anfangs viele Menschen zutiefst erschrocken, weil sie unfähig waren, ihre Köpfe zwischendurch abzustellen, um sich selbst und der Umgebung rücksichtsvoll Ruhe zu gewähren, viele Köpfe tönten laut schallend völlig selbständig landauf und landab und ließen sich nicht mehr abstellen. Dergleichen Anfangsschwierigkeiten waren bald behoben, man lernte, die Köpfe, sowohl den eigenen als auch die der Mitmenschen, sachgerecht zu handhaben. Durchaus war es möglich und üblich, das Programm des eigenen Kopfes nicht nur mit dem eigenen, sondern auch mit anderen Köpfen zu verbreiten, was zur Folge haben sollte, daß einige wenige Köpfe nur ihr eigenes Programm und kein anderes nicht nur mit den eigenen, sondern auch durch viele andere Köpfe lautstark durchs Land tönen ließen, einige wenige Köpfe hatten häufig sämtliche anderen Köpfe mit ihrem Programm derart vollgestopft, daß aus den meisten Köpfen das eigene Programm so gut wie niemals gehört werden konnte, sondern immer nur die Geräusche, die einem vom Kopf eines Fremden aufgezwungen worden waren. Auch solches hatte sich nach und nach regeln lassen. Unsere geräuschvoll tönend musizierenden Köpfe sind sehr diszipliniert geworden: Man hat gelernt, daß wir mit der Musik, die aus dem eigenen Kopf hervortönt, gewissen neuen gesellschaftlichen Regeln unterworfen sein müssen, wir haben gelernt, wann wir unseren Kopf abzuschalten haben, um andere Köpfe nicht unnötig zu behindern z. B., und wann und wie wir ihn einschalten dürfen. Inzwischen hat das alles im gesamten Land sich herumgesprochen, wir sind ein Volk der tönenden Köpfe geworden, unser Kopf ist nicht mehr länger nur einfach unser Kopf, sondern vor allem der Lautsprecher unserer Seele! Mit einem solchen Kopf können wir sämtliche Rundfunkprogramme nicht nur empfangen, sondern auch in sämtlichen Lautstärken weiterverbreiten, so daß sich für alle Zeiten der Gebrauch eines Radioapparates, eines bei uns lange schon abgeschafften, als völlig rückständig veralteten Gerätes, erübrigt.

Das macht uns in der ganzen Welt nicht so bald jemand nach!

Dennoch, meine Damen und Herren, oder gerade deswegen sind wir noch immer vor allem eines: nämlich ÖSTERREICHERINNEN und ÖSTERREICHER geblieben und wollen es auch fürderhin immer wieder neuerlich geblieben sein werden!

Alfred Kolleritsch

Das Einzelne und das Allgemeine
oder
Die grünen Täler der Dummheit

«Ich weiß nicht», sagte er, «wenn ich ihre blonden Haare beobachte, schäme ich mich, über das Vergangene zu reden. Ich muß ihre Haare sehen, weil sie mich nicht ansieht, wenn sie mir gegenübersitzt, am Tisch in der vertäfelten Nische, im alten Hotel, wo ich eine erfundene Geschichte schreiben wollte, eine Liebesgeschichte, eine schwebende Wahrnehmung des Zukünftigen. Das war nicht gelungen, das Neue war längst geschehen.

Die Erinnerung, die aus meinen alternden Augen kam, der Mitsprecher in mir, blies Staub auf das Gegenwärtige. Ehe ich etwas wahrnahm, war es trübe, allgemein, gleich, allem, sich selbst und dem *anderen*. Vielleicht schaute sie mir nicht in die Augen, weil ich über das Vergangene sprach, schlecht sprach, ungenau, anekdotisch, beschämt darüber, daß ich sie in meine Schmerzen und Ängste hineinnehmen wollte, in das zugewachsene Körpergefühl, das nichts mehr mit dem eigenen zu tun hat.»

Er wollte ihr erklären, daß sich vieles erklären läßt. Immerhin, das war ein Satz, den er nicht für beweisbar hielt. Das berührte ihn, weil er es sich vorgenommen hatte, sie nicht zu belügen, ja nie zu belügen. Und da wurde die Wahrheit zu seinem Debakel, zum Abgrund. Er erzählte darüber hinweg, hastig, das Tischtuch in Falten ziehend. Manchmal bewegten sich ihre Haare, weil er zu heftig ausatmete. Er bemerkte, daß sie ihm kaum zuhörte. Der ihm nächste Mensch (vielleicht weil er ihm so nahe war) verstand nicht, daß seine Sätze, hinweggesprochen über das gekochte Rindfleisch, über den Apfelkren, über das Blaukraut und die gerösteten Kartoffeln, die Wirklichkeit suchten.

«Ich will es beschreiben», sagte er, «ich kann es nicht erklären, und wahr kann für mich vorläufig nur sein, was dich interessiert.» Er spürte, daß er sich festhalten wollte, daß seine andere, mögliche Seite nach einem Ausbruch aus der Geschichte suchte, aus der, die er schreiben wollte, und aus der, der sie beide angehörten, wenn auch in verschiedenen Treppenhäusern und Treppenhöhen der «Gesetzmäßigkeit des Geschichtsprozesses». «Schon, daß unser

Gedächtnis sich unterscheidet, ist eine Katastrophe», sagte er zu ihr, «daß sie zeitlich verschoben sind. Was für mich mein Leben war, ist für dich diese Geschichte, Material, von dem du Dinge erfährst, die du nicht erfahren hast.»

Sie kaute an ihren Fingernägeln, und er sah sich an seinen Nägeln kauen, weil er sich vor Angst auffressen wollte, als ihn in der Nacht Schüsse aufweckten und er Schreie hörte. Der Großvater sagte danach: «Das sind die Braunen», und der Großvater sagte auch, daß die Roten etwas gegen das Schloß hätten und gegen die Herrschaft.

«Weißt du», sagte er zu ihr, «es gibt in der Zeit, die im Verhältnis zu einer vorangegangenen Periode anders geworden ist, noch diese Köpfe, die das Frühere nicht vergessen, Köpfe, die neuen Köpfen das Vergangene neu einpflanzen. Leeren Köpfen ist alles neu. Jeder Kopf sucht seinen Sinn, und der Sinn ist da, ob du es willst oder nicht, irgendein Sinn. Jeder hat ihn, er ist der dritte, vierte und fünfte Fuß, auf dem man steht.» Sie lachte, weil er sich geschreckt hatte. Sie hatte ihm plötzlich in die Augen geschaut und, was sie selten tat, gelächelt. Zwei Querfältchen begrenzten den leicht geöffneten Mund. Er wußte, daß er ihr von Zeiten erzählt hatte, die ihn ihr fremd machten. So lächelt man Fremde an. Er fand es merkwürdig, daß sie beide *einem* Staat angehörten. Erst als er ihr sagte, daß das Allgemeine tot, nicht rein und nicht vollständig sei, wie Lenin gemeint habe, hörte sie auf zu lächeln und schaute starr auf das weiße Tischtuch. Er hatte ihr nie begreiflich machen können, was das Gemeinsame zwischen ihnen war. Sie sprach von Freiheit, von Individualität, von den Bäumen, die den Wald verschwinden lassen. Er, ein gemäßigter Nominalist, wollte seine Worte über das sie Verbindende auf das Bleibende beziehen. Aber wo war es?

«Du hast ein falsches Bild von uns», sagte sie, «was du willst, das gibt es nicht, ich bin da und du bist da. Willst du mehr?» Er drehte den Kopf weg und antwortete kaum hörbar: «Aber wir wollen, daß der Kellner für *uns* da ist, da ist wie der Staat, und so schaffen wir mit unserem sinnlosen Gegenübersitzen und mit den Fluchtversuchen unter unsere Haut und mit dem Fetisch vom ordnenden Sinn nichts als Unvernunft, als Interessendefinitionen, die das fremde Allgemeine mächtig werden lassen. Dann glauben wir uns mit dem Egoismus zu retten.»

Er merkte es ihren schönen Händen an, daß er in ihr das Gefühl geweckt hatte, daß neben ihm auch sein Gespenst saß. Wenn er das spürte, zwar noch getröstet von ihren Händen, fing er sein Gespenst zu verteidigen an, seine Tätowierung.

«Das hat man mir eingeschrieben, und ich nehme es ja nicht als Gesetz, aber ich bin dabei, mit allem, mit meiner Leidenschaft zu kämpfen, mit meiner Leidenschaft nachzugeben, mit meiner Einsicht, daß mir die Einsicht in meine bedingte Situation, in einer bestimmten Gesellschaft zu leben, nichts hilft, dabei mit den schlechtverheilten Rissen, die die Widersprüche spüren lassen und anzeigen, daß sie nicht zu heilen sind. Deshalb ziehe ich, um sie zu lösen, in unsere Widersprüche die anderen Widersprüche ein», sagte er, aber er hatte die weiße Damastserviette vor den Mund gepreßt, um sein Pathos abzuschwächen.

«Dein Pathos», entgegnete sie, «ich finde das alles so kompliziert, du erzählst nie, was du erlebt hast, du beziehst, was dir zugestoßen ist, auf mich. Kannst du es nicht lassen, wie ein Buch zu reagieren? Mir ist mein Egoismus lieber als dein Hin und Her zwischen Mutterschoß und Ironie.» Sie nahm ihr Strickzeug heraus und meinte: «Du kannst ruhig weiterreden.»

Er wußte, daß sie recht hatte. Er war unerträglich geworden. Die Geschichte, die er schreiben wollte, und sein Verhältnis zum Staat, in dem er lebte und dessen Beamter er war, hatten ihn zu lange nicht beschäftigt. Im Grunde hatte er kaum nachgedacht. Jetzt, da er sich dazu äußern mußte, weil seine erfundene Geschichte, die er schreiben wollte, seine private Situation geworden war und er verurteilt war, Rechenschaft zu geben (diese seltsame Form freiwilliger Verurteilung), wurde es Zeit, den Trümmerhaufen zu beschreiben. Anders ging es nicht mehr.

«Ich kann mir meine Geschichte nicht mehr zurechtstricken», sagte er, «und mit dem Verhältnis von meinem Einzeldasein zum Allgemeinen komme ich nicht zurecht, der schöne rote Faden ist keine Sache für mich. Ich möchte mir mit einer deiner Nadeln ein Loch in die Schläfe bohren, nur so tief, daß ich nicht mehr fähig bin, vor Instanzen ein Gedächtnis abzulegen, die dem Hasen der Weltgeschichte unbeirrt auf der Fährte sind.»

«Ich weiß, wie der Hase der Weltgeschichte läuft», hatte der Kellner einmal zu ihm gesagt, während eines der erschöpfenden Gespräche über Politik, in denen alles Gewesene unverrückbar vertikal in einem Kloakenrohr auf und nieder steigt, ohne sich von der Stelle zu bewegen. «Unser Bewußtsein reicht nicht einmal aus, daß wir in uns selber einigermaßen redlich sind», fuhr er fort und nahm sie an beiden Unterarmen, weil ihn die Selbstverständlichkeit der Nadeln verunsicherte, «ehe wir ein wahres Wort sagen, haben wir uns versprochen, und es ist sinnlos, Gefühl, Verstand oder anderem zu vertrauen. Was bleibt, ist die Sehnsucht nach einer Begegnung, doch der andere scheint noch verdorbener zu sein als man selbst. Wenn man das fühlt und weiß, daß man für die vergangenen Tage kaum ein Alibi zu bringen imstande ist, dann verstehe ich nicht, wer ich als Staatsbürger bin.»

Sie befreite ihre Arme und sagte: «Als Staatsbürger verstehe ich dich, da bist du so wie die anderen. Wenn du dich selbständig gibst, sehe ich bloß ein Kind, das nicht reif ist, ein Staatsbürger zu sein.»

Er spürte, daß sie das ironisch gemeint hatte. Sie wollte sich nicht an ihn binden, weil sie das Gemeinsame für ein *Drittes* hielt, eine Begrenzung, die mehr Macht bekommen könnte als die aufeinanderfolgenden Entscheidungen, das Neue von Tag zu Tag, das Zeitlichbleiben der Glücksversuche. Er war ja auch veränderbar geblieben, weil er wußte, daß im Grunde nicht viel anders geworden war. Wohl war der Körper ihm im Laufe der Jahre über seine Augen gesunken, war über die Nacktheit und Unbeholfenheit gewachsen, ein trügerischer Panzer, der zum Faktum versteinerte, nicht anders als die Gedanken, Sinngebungen, Ordnungen, die platonischen Parks ringsum; freilich, sie entzogen sich ihrem Ort und ihrer Endlichkeit.

Er fühlte sich in dieser Nische einfach schlecht. Er konnte nicht mehr leben, nur mehr über das Leben etwas sagen. Er war ein Gespenst geworden. Das stimmte. Freilich, sie war bei ihm, aber irgendwie hatte ihn schon das Gewesene überholt, das Zukünftige verlassen. Die Gegenwart war die Begleiterin dieser Einsicht, nein, dieses Zustandes, der in seinem Kopf da war, Tag und Nacht. Er war nicht glücklich, Glück, das war wegprojizierte Hoffnung, Raub, Eingriff in die Augenblicke des Atemanhaltens, in denen das Ich allein, privat, vom Tod bestimmt, sich im Anarchischen seiner Endlichkeit erholte.

«Wenn ein Allgemeines das Glück bringt, wenn wir ein Paradies brauchen, um glücklich zu sein, dann haben wir uns bereits aufgegeben. Und wir geben uns auf, allemal, weil es anders nicht geht, weil wir *auch* das allgemeine Glück brauchen. Vielleicht ist es sogar gleichgültig, ob das Glück illusorisches oder erfülltes Gattungsleben ist, der unbestimmte Rest der privaten Not und des privaten Glücks wird bleiben, das sehe ich selbst ausgestopften Tieren in naturwissenschaftlichen Museen an.»

Sie hatte, während er sprach, die Reihe der Maschen gezählt und anschließend mehrere Reihen wieder aufgetrennt. Die durch das Stricken wellenförmig gewordene Wolle ringelte sich auf dem Tischtuch, eine Schlaufe berührte die über den Teller hängende Schlagsahne der Nachspeise. Der Ober schien zugehört zu haben. Als er zu ihm schaute, drehte er sich, ein Glas Wein austrinkend, weg. Der Kellner diente dem Lokal, dem Besitzer, dem Staat. Hinter seiner schwarzen Bauchschleife wogte der Bauch. Der Kellner verhielt ein Schluckauf. Verlegen verließ er den Raum. Irgendwann hatte er einen Vertrag unterschrieben und sich dabei nicht mehr gedacht, als er sich bei der Ablegung des Beamteneides gedacht hatte. Nicht deshalb allein, er war überhaupt jämmerlich geworden. Da hielt er eine Frau fest, die jünger war als er, und ihn hielten Fesseln, die viel älter waren als er: das schlechte Zeitlose, die zeitlose Geschichte, das Bewußtsein, von anderem durchströmt zu sein, von einem Gott, von einem dialektischen Gesetz, von einer Vernunft, von wahren Sätzen. Er spürte das Rindfleisch im Magen, das Rindfleisch, das immer schon Rindfleisch war, den Kren, der immer schon Kren war.

Und sie ihm gegenüber floh aus seiner Geschichte, mit jeder Masche, mit jeder Handbewegung, und sie ahnte vielleicht nicht, daß es ihr nicht besser ging als ihm. Ein Epos wollte er schreiben, er hatte eine Landschaft dazu, und schon sah er sich wieder als den geleerten Markknochen, den porösen Röhrenknochen. Freilich, dort gab es Eichen, Schnauzbärte, Erlen, Teiche. Über all das hätten sich die Gedanken hinbreiten können, dieses Bild nachzeichnend, ohne Zuhilfenahme der Phantasie oder des Skurrilen, dachte er aber an die Menschen, die dort wohnten, erschreckte ihn die nur scheinbare Trennung von Rachsucht und Aufklärung, erschreckte ihn die Zitierbarkeit Gottes, die Austauschbarkeit der Heiligen, die Gegenwart Hitlers, der Wunsch nach rollenden Hinrichtungskommandos. Er erinnerte sich an den Abwehrzauber in den Kirchen, an die Schadenfreude der Leute, an ihre Lust zu beichten, mit der sie den letzten Rest von schlechtem Gewissen austrieben. Die Ordnung, der Sinn, das Göttliche manifestierte sich in der Denunziation der Mitmenschen, des anderen Staatsbürgers. Keiner hielt sich selbst an die Ordnung, deretwillen er aber bereit gewesen wäre, seine Mitbürger zu töten. Gemeinsamkeit war nur über den Umweg der Ausrottung *anderer* möglich. Die Selbstgefälligkeit nahm ihre Kraft aus der Natur der Sache, von der ständig die Rede war.

«Du schweigst wieder», meinte sie, «das tut mir gut. Wenn du redest, habe ich oft das Gefühl, daß du unnatürlich bist. Du kannst so herrlich erzählen und mich fesseln. Kaum bringst du das Erzählte in einen größeren Zusammenhang, machst du es mit deinen Gedanken tot.»

«Essen und das Ganze wieder erbrechen, das ist Dialektik», unterstrich er, «du mußt mir nichts glauben, ist sogar besser, lehn dich zurück, stricke, wenn du fertig bist, höre ich auf.» Was sie.

selten tat, sie nahm seine Hand und meinte, daß sie gehen müsse. Er hielt sie an der Hand fest und bat sie zu warten. «Mit dir soll meine Vergangenheit nicht abreißen», sagte er, «deine muß ich mit aufnehmen und die Qual ertragen, daß wir gleichzeitig lebten, aber anders davon erzählen. Verstehe, daß ich Lust habe, Ähnlichkeiten zu finden, zwischen uns, überhaupt Ähnlichkeiten, die länger anhalten als Gefühle und Worte. Ähnlichkeiten machen mich stark, doch du wirst sagen, es ist *anders*.»

War es anders, als sich die Roten vom Schloß trennten, als die Braunen das Rote haßten? Was war damals das Einigende? Er lernte in der Schule grüßen, wie er als kleiner Österreicher grüßen mußte. Es gab einen Lehrer, einen Pfarrer, Herrschaften, beschmierte Wände, Bauern, die während der Predigt vor der Kirche standen, gleich an der Grenze den Fluß und drüben die anderen Berge, andere Uniformen, andere Sprachen, alles anders, vielleicht nicht so fremd wie die Unterschiede, von denen ihm der Großvater erzählte, die Unterschiede gleich nebenan, den Unterschied zu dem, der einem gegenübersitzt. Im Kopf des Großvaters schien das alles zusammenzustimmen, in seinem großen Kopf, den er weit herabbeugte, wenn ihm seine Brotgeber begegneten, die des Großvaters, der zu ihm gesagt hatte, vom Staat habe er nichts zu erwarten wie andere, denn die Herrschaften seien privat, sie könnten das sein, weil sie viel besäßen, das sei der Staat im Staat. Davon hörte er vom Lehrer in der Schule nichts. Der sprach vom Staat wie von der Sonne, wie von einem großen Leib, der seine Kinder verspeist und sie als Stärkung im ganzen Körper verteilt oder, wenn sie schädlich sind, ausscheidet. «Die Schule wird viele von euch ausscheiden», sagte der Lehrer, wenn Zahlen nicht richtig zusammengezählt wurden. Sein Großvater war Diener, der Lehrer nannte sich Staatsdiener, und wenn er das sagte, schaute er das Bild und das Kreuz an der Wand an. Der Lehrer sagte dann: «Das ist die Geschichte, und das wird sie immer bleiben, nur ihr werdet ausgetauscht.» – «Die sind schon ausgetauscht», meinte er, sobald die Bettler und Zigeuner vor der Schule standen und seine Frau mit einem Buch unter der Eiche saß und den Kindern nachrief: «Es muß ein besserer Staat kommen, ein mächtiger Mann.»

«Du wirst verstehen», sagte er zu ihr, «daß ich mit Angst reagiert habe. Ich fing mich vor den Worten und den Erzählungen zu fürchten an, vor den Handlungen, die ich lernen mußte, vor den Vergleichen, vor der Natur und ihrer Ordnung, von der sie auf den Jagden sprachen.

In den Nächten schreckte ich auf. Ich glaubte, ich sei es, der schuld daran war, daß es Widersprüche gab, daß ich nur Worte hörte. Ich begann mir einzubilden, daß mein Heimatort das einzig Zusammengehörige sei. Die Bauernhäuser ordneten den Ort, durch den ich so gerne ging, die Waldwege, die Alleen, die schreienden Schweine, der Flug der Fledermäuse, die Dreschmaschinen, das Glockenläuten schenkten mir Geborgenheit, die ich aber nur als *meine* Geborgenheit erlebte, und jetzt weiß ich, daß es meine Einsamkeit war. Bis heute geht es mir nicht anders. Das Paradies, das verlorene und das utopische, alle Prozesse und alle in Spielregeln als Gesetze zusammengepferchten Verhältnisse gehen ebenso fremd durch uns hindurch, unbekümmert um unseren Tod, wie die Bilder davon, die sich dafür die Köpfe schaffen. Wenn ich an mein soziales Gattungsleben denke, dann fallen mir vor allem meine Lehrer ein, ich selbst trete da auf und bemerke, daß man unter so viel Fremden verschüttet ist. Der Lehrer, der uns vor dem Kreuz versammelte, brachte es wenige Wochen später fertig, uns zu bestrafen, wenn wir vergaßen, ‹Heil Hitler› zu sagen. Er erzählte vom neuen Staat und prüfte uns die Eigenschaften dieses Staates. Ich sah die gleichen Leute, manche waren anders geworden, aber nur auf eine andere Art fremder. Wie eine Liebe, die endet, war das, und dann die neue Liebe. Ich fragte den Lehrer, ob der neue Staat besser sei, und wurde dafür bestraft. Statt der Bettler sah ich Kriegsgefangene, ich sah Erhängte, die Ausgeschiedenen des Lehrers traten auf. Der Großvater saß in der Küche auf der Bank und ließ den neuen Staat nicht gelten, und man ließ ihn reden, weil er vom Fortschritt nichts verstünde. Den Tod, den alle fürchteten, anerkannten sie auf eine seltsam stumpfe Art im Heldentod. Uniformen, Heilkräuter, Eintopf, das war das sichtbar Allgemeine, auch die Wörter, die man sagen mußte oder nicht sagen durfte. Als das Ende des Allgemeinen kam, begleitet, dort, wo ich wohnte, von einer unbeschreiblichen Sauf- und Freßlust, sah ich wieder die gleichen Leute, und Fremde wurden auf eine andere Art gleich. Später unterrichteten dann in den Schulen die alten und neue Lehrer, und zum drittenmal mußten sie das Andere gleich und das Gleiche anders vortragen. Trotzdem durften sie nichts anderes sagen. Nach dem Krieg wurden die Lehrer gelobt, die den Krieg verdammten, nicht viel später mußten sie, was dem Wehrwillen schadete, als abseitig beschreiben. Die neuen Lehrer unterschieden sich von den alten dadurch, daß der Staat mehrere Meinungen zuließ. So teilten wir sie ein, so teilen wir uns ein. Noch fremder wurde mir damals das, was jenseits dieser Trennung lag, und jene Worte, aus denen die Eigenschaften dieses Fremden sprachen. Der Lehrer, der die Meinung bildete, war selber gezwungen, seine Meinungen zu ändern. Das Allgemeine nimmt keine Rücksicht, die leeren Köpfe sind wie die vollen Köpfe. Wer erleidet dabei Schaden? fragte ich mich oft. Man trennte sich schwerer von seinem Hund als von den Meinungen.

Es geht ums Überleben, und anscheinend müssen wir auch die in unsere Innenwelt getriebenen Bilder und Sätze für das Überleben einsetzen und davon nehmen, was wir brauchen. Wir fressen viel mehr Allgemeines, viel mehr philosophisch Unbestimmtes, als Brot. Die Macht der Ideen kommt von der Erbärmlichkeit eines Hungers, den unsere Einsamkeit erzeugt, dessen erste Verzweiflungstat, die Beziehung zwischen zwei Menschen, bereits die anderen Probleme einschließt. So sicher es ist, daß zwischen uns etwas *ist*, was mehr ist, als wir zwei zusammengezählt, so sicher ist es, daß uns wegen der Sprache, die wir sprechen, die Sprache fehlt, die nennt, was das Unverschiedene an uns ist, das bittere und schöne Angewiesensein aufeinander, die Notwendigkeit einer Einheit, die Sehnsucht nach Gemeinsamkeit, nach weniger Einsamkeit. Bisher habe ich für den Staat gearbeitet, ohne daran zu denken, daß es so sein mußte, und ich habe jene gehaßt, die es bewußt taten, die ihre Sicherheit vorfabriziert einlösten. Ich habe das Gemeinsame oft als das Grausamste erlebt, als zwischenmenschliche Marter, als Schule, als Heim, als Sinnzwang, Gesinnungszwang, als Aufhebung der Wertprüfung. Je ergebener einer dem Allgemeinen war, desto klarer erlebte ich ihn als Ausüber der Macht im Namen der Pflicht. Die Pflicht ist der verschleierte Egoismus, oft Mangel an Kritik. Trotzdem war ich auch fähig, fast in einer Wollust des Sichverkriechens, das Allgemeine zu lieben, es anzunehmen, wenn du willst, davon zu leben. Meine Arbeit war keine Pflichterfüllung, sondern eine Rückerstattung für die Sicherheit, die ich erhielt. Ich konnte unter der Decke des Allgemeinen an das Anarchische denken, ich gebe es zu. Der Wechsel des Unterschiedlichsten im Gleichen hatte in mir nie ein politisches Bewußtsein entwickelt, höchstens Haß und Angst vor Unterdrückung, vor allem Angst vor der Übermacht des Gleichen, so sehr ich es auch suchte. Wörter brachten mich nicht mehr zu den anderen. Ich sah die Notwendigkeit der Veränderung ein, aber ich konnte die Tatsache meines Schmerzes und meiner Erfahrung, wenn sie auch aus dem Wechselspiel mit der Gesellschaft kamen, nicht in Mitarbeit an einem gemeinsamen Ziel ummünzen. Immer sehe ich den Lehrer vor mir, den Großvater, die Erinnerung, die Lehrer, mich als Lehrer, der sich nicht mehr für fähig hält, das Wahre zu tradieren. Ich könnte höchstens noch vergleichen, beschreiben, aber auch begründen, warum mir bestimmte Versuche, Menschen unter ein Allgemeines zu bringen, hassenswerter erscheinen als andere. Dafür, daß die erträglichere Einordnung die stärkere bleibt, würde ich auch kämpfen, vielleicht nur, um nicht denken zu müssen, weil man in solchen Situationen nicht denken darf.»

«Du siehst das alles anders als ich», unterbrach sie ihn, «trotzdem habe ich geduldig gewartet und bemerkt, daß du deine Gesichtszüge bewußt verändert hast, wenn du vom Schmerz sprachst, von deiner Unfähigkeit, den anderen sein zu lassen, wie er ist. Vielleicht verstehst du deshalb den Staat nicht, vielleicht verstehst du das Allgemeine als Selbstmitleid und setzt deine Philosophie an die Stelle deiner eigenen Verwirrung. Ich kann ‹ich› und ‹wir› sagen, wechselweise. Ich muß mich nicht bemühen, Ähnlichkeiten zu sehen, die sind da oder nicht da. Ich fühle mich dort am wohlsten, wo man mich sein läßt, wie ich bin.»

«Dein Ich ist das Allgemeine, in das du dich verkrallt hast, das ist kein Ich, das es sich erlaubt, *ich* zu sagen, das ist ein verzweifeltes Ich, dessen Verzweiflung der andere, dir unbekannte Teil deines Ichs nicht annimmt. Mein Schmerz ist nicht mein privates Versagen, mir fehlt nur der Glaube, daß es ein glückliches Ich gibt, das ehrlich ist. Wir alle sind zusammengesetzt wie die Lehrer, von denen ich dir erzählt habe; ein Haufen Findelkinder schreit in uns, und wer die Schreie hören läßt, der trieft von Pathos wie ich. Ich möchte dich schützen, du siehst es als Unterdrückung. Es ist grausam genug, daß du auch recht hast. Und es ist noch grausamer, daß du auch unrecht hast. Es gibt nur zwei Arten von Verständigung, die Hingabe oder die kritische Wachsamkeit, beide zerstören uns, weil sie nichts weiterbringen, beide versagen vor den dunklen, weiterwachsenden Zusammenhängen. Kein logisch widerlegtes politisches, ideologisches System nimmt Schaden an dieser Widerlegung. Die kritische Prüfung versagt vor der Hilflosigkeit, die uns in die Dämonie der Allgemeinheit treibt. Konkreter kann ich es nicht ausdrücken. Das Konkrete, das bist du, und wenn ich an dich denke, fällt mir mein Verhältnis zum Staat ein. Ich weiß, daß ich aus einer sinnlosen Ecke denke, daß ich ein Monstrum bin, das sich nichts erklären läßt. Ich denke in einer anderen Schicht, in einem Seitenstollen, und jeder Politiker oder politische Mensch würde mich verkrüppelt, unlogisch, unwissenschaftlich nennen, dumm. Ich kann dazu nur Dummes sagen, weil das Gescheite eine voreilige Entscheidung wäre. Du bist mir auch dort lieber, wo du dumm und wild bist, wo die Leidenschaft das Einatmen erleichtert und die Wörter auf der Zunge zergehen und unsere Rezepte die Speise selber sind.»

«Du wirst mich nie verstehen», sagte sie. «Das will ich auch nicht», erwiderte er, «verstünde ich dich, könnte ich dich nicht lieben, wie ich den Staat nicht lieben kann, weil ich ihn letztlich doch verstehe.» – «Aber du willst doch, daß wir unsere Beziehung in Ordnung bringen», fiel sie ein, «gerade du hältst ja das Unbestimmte zwischen uns nicht aus.» – «Daß wir diesen Widerspruch auszuhalten lernen, das habe ich jetzt die ganze Zeit über gemeint.» – «Es gibt Lösungen», sagte sie und zog die Nadel aus den Maschen.

Er zahlte, der Ober verbeugte sich. Er hörte den Chef des Restaurants reden, ein Festessen für einen *Verein* war vorzubereiten. Als *er* und *sie* hinausgingen, trennte sie einer der Flügel der Drehtür. Draußen war es heiß. Die Nachmittagssonne brannte herab. Arbeiter gruben die Straße auf und suchten die schadhafte Stelle einer Gasleitung. Der Verkehrspolizist ließ seine weißen Handschuhe blitzen. Die Tramwayfahrer und Schaffner arbeiteten mit ernster Miene. Die Geschäfte waren schon offen. Die Rettung fuhr vorbei. Hinter den Fenstern der Kaffeehäuser sah man die Servietten der Ober fliegen. Die drei Uhren auf dem großen Platz zeigten dieselbe Zeit. Es gingen Menschen vorbei, die lachten. Man hörte Sätze von großer Selbstverständlichkeit. Viele grüßten sich. Die Männer und Frauen, die aus der öffentlichen Bedürfnisanstalt kamen, sahen nicht verlegen um sich. Viele scharten sich um einen Hund, der heulte. Einer alten Frau wurde der Vortritt gegeben. Zwei Frauen fütterten die Tauben. Er und sie trennten sich in der Nähe ihres Hauses. Er wußte nicht, was sie wahrgenommen hatte, woran sie dachte. Er hoffte, sie hätte bemerkt, was er nicht übersehen durfte. Als sie ihm die Hand gab, war er dankbar, daß sie es trotzdem tat. Er hätte ihr gern gesagt, daß ihre gemeinsame Not darin bestand, daß sie beide glaubten, recht zu haben. «Jetzt siehst du aus wie ein Lehrer», sagte sie, «oder ein Bankbeamter.» «Wie *du* aussiehst, kann ich nicht beschreiben, aber das Unbestimmte hält mich am Leben. Es wäre mir lieber, wenn es solche Menschen wie mich einmal nicht mehr geben müßte», entgegnete er.

Er sah ihr nach. Was füllte die Distanz zwischen ihnen aus? Gab es das Gemeinsame nur, soweit ihre Blicke reichten? Half die Erinnerung, das Erlebte, als Gewissen und Hoffnung? Er bog in eine andere Straße ein und wollte nicht mehr fragen, warum alles so war. Er sagte sich, daß bisher vieles an falschen Fragestellungen gescheitert sei, überhaupt an den Fragen. Deshalb wollte und konnte er nicht aufhören zu fragen. Bald darauf schämte er sich, so endgültig gewesen zu sein. Er verstand nicht, daß sie, ohne sich umzusehen, weggegangen war. Er war gezwungen, jede Vergangenheit sofort aufzugreifen, weil es ihm um die Zukunft ging. Er haßte die Gegenwart, die unvergänglich wurde. Wie der Staat, von dem der Lehrer gesprochen hatte. Man darf mitunter nichts verstehen, um, wieder einmal zum letztenmal, neu anzufangen.

Otto Kreiner

Im Fuchsenloch

Die Gegenden ändern ihr Gesicht. Was gestern noch eine Landschaft war, ist heute bereits ordentlich asphaltiert. Die Quelle im Fuchsenloch ist längst an eine moderne Großwaschküche angeschlossen. Und du siehst auch keine grünen Hügel mehr. Und wenn du noch so sehr an den Wänden der Betonkästen kratzt, die man verdienstvollerweise dort hingestellt hat.

Das Fuchsenloch war dort, wo die Stadt bereits schütterer wurde und ins Land sickerte. Es gab zwar keine Kornfelder wie in Eßling, wo um die niederen Häuser die Schwalben flogen, aber die Wiesen waren, außer mit spärlichen Bäumen, denn der Wald ließ sich hier noch Zeit, ansehnlich mit dichtem, saftigem Gras bewachsen. Hier führten alte, gebeugte Frauen ihre Hündchen spazieren, die ihnen an den üppigen Halmen die Wetterprognosen vorkauten.

Die Menschen, die hier wohnten, schätzten die Natur, die da einfach so vor dem Fenster lag und auf die sie jederzeit, direkt vom Hausflur aus, drauftreten konnten. Das machte, daß sie weniger hektisch als ihre Brüder in der tiefen Stadt waren.

Auf dem Dachboden, beim Wäschetrocknen, sah man die Tauben beim Anfliegen ihrer Drecknischen vor dem klaren Hintergrund des durch keinerlei Gebäude verstellten Himmels geheimnisvolle Schatten werfen, wie die aussterbenden Raubvögel, zu denen die Romantiker weite und anstrengende Reisen unternahmen. So eine Natur war das.

Wer hier heraußen wohnte, zeigte mit Recht eine bescheidene Herablassung.

Das Fuchsenloch erstreckte sich damals von den Kieselauen bis zur Maxnersteige. Es waren grüne Hügel, zwischen denen schmale Wege durchführten. Und neben den Wegerln kam irgendwo eine Stelle, wo aus einer in einen kleinen Moosbuckel gebetteten Röhre Wasser und Gatsch quollen. Und diese Stelle hieß das Fuchsenloch. Und davon hatte die ganze Gegend ihren Namen.

Hier heraus kamen die Wienerliederdichter und fuhren mit dem

Fahrrad das ganze Fuchsenloch hinauf, bis zum «Blechernen Hund», der ein Wirtshaus war, und nachher wieder hinunter.

Hinauf zum «Hund» fuhren sie noch mit mürrischen, unbeschriebenen Gesichtern. Auf der Rückfahrt jedoch konnte man bereits die Dämonen der Eingebung auf ihren Buckeln hocken sehen.

«Habns wieder auftankt», sagte dann der alte Hofrat gönnerisch, wenn sie so mit glühenden Bäckchen an ihm vorbeikamen.

Der Hofrat hatte Sinn und Gefühl für kreative Unternehmungen. Jetzt war er in Pension, aber vorher hatte er siebenundvierzig Jahre im Ministerium für Poesie und Papierhandel zugebracht. Er war noch in manchen Teilen eine Bastion k. u. k. altösterreichischer Kultur. Im oberen Hof wohnte ein ehemaliger Medaillenpräger, der ein Autogramm von der berühmten Filmschauspielerin Adele Sandrock besaß. Der Hofrat aber kannte die Künstlerin noch vom Theater her. Das war ein Unterschied.

«Guten Morgen, Herr Hofrat», grüßt der Franz, ein Dichter und begabter Säufer, dem man nur auf dem Weg zwischen zwei Wirtshäusern begegnen konnte. Und der Hofrat, mit seiner ganz alten Erziehung, nimmt diesen Schicksalsschlag gelassen hin und grüßt freundlich zurück.

Erfreulicher war da der Trafikant Kambauer.

Dieser stand jeden Tag ganz zeitlich am Morgen auf und spazierte den Weg bis zur Straßenbahnhaltestelle hinunter; dorthin, wo schon fast die Stadt begann. Zu diesem Anlaß trug er stets Breeches, Reitstöckchen und Monokel. An der Haltestelle ging er ein paarmal auf und ab, musterte die angetretenen Frühaufsteher durch seine Nobelscheibe und kehrte dann wieder um.

Daheim zog er das alles aus, kleidete sich unauffällig sowie mit einem schwarzen Arbeitsmantel und sperrte seine Trafik auf.

Sein erster Kunde war dann immer der Franz, der hier, bevor sich die ersten Wirtshäuser öffneten, seine Zigaretten holte. Meistens begrüßte er Kambauer mit einem gerade erfundenen Zwei- oder Nochmehrzeiler, den der Trafikant als Geschäftsmann mit in Kauf nahm.

Es gab Tage, an denen sich der Franz überhaupt nur in Reimen ausdrückte.

> «Als Kind da tanzt ich Reigen,
> Das war mir eigen»,

pflegte er nach dem fünften Viertel zu sagen.

Wenn man bedenkt, wie mühevoll die Dichter mit ihren Themen herumgingen, erscheint eine so lyrische Begabung eines einfachen Mannes wundersam. Was unternehmen die Leute denn nicht alles. Von den faulen Äpfeln in der Schreibtischlade bis zu den teuren Reisen nach Italien; nur um in Stimmung zu kommen. Dem Franz aber konnte es passieren, daß er auf der Polizeiwache oder irgendwo mitten auf den Tramwayschienen von den Musen angesprungen wurde. Er konnte gar nichts dagegen tun. Er machte sich auch nie Gedanken darüber. Er war völlig unsophisticated.

In einer Zeit, die noch vor dieser – auch schon lange vergangenen – lag, standen am Abend an der Ecke immer die Schulbuben, angeführt vom Lopetz, der aus unerfindlichen Gründen von allen, außer von seiner Familie, die auf ‹Xandie› beharrte, ‹Manuel› gerufen wurde. Der Lopetz hatte einen Hang zu Gespenstern. Und die Kinder hörten mit Behagen, daß es draußen im Fuchsenloch nicht geheuer sei.

Auf den einsamen Wegen, wo nur ganz spärlich matt funzelnde Lampen standen, war dem Lopetz schon einmal ein Fremder begegnet, mit einem langen schwarzen Mantel und einem großen schattigen Hut auf den blanken weißen Knochen. Und die eine Knochenhand hatte unter den Mantel gegriffen und einen kleinen Korb hervorgeholt. Und darin waren lauter Zuckersachen. Und mit der anderen Knochenhand gab das Gespenst, das dabei immer wie ein Gaslicht glühte, dem Lopetz noch einen zweiten Korb, und der war gefüllt mit Keksen und Suppenpulver, mit Schinken, Streichwurst und gebratenen Kartoffelscheiben. Für diese mageren Zeiten eine Seltenheit. Diese realen Ergebnisse weckten bei den Zuhörern weit größeren Neid als die metaphysischen Beziehungen des Lopetz.

Beneidet wurde er auch wegen seiner reichhaltigen Sammlung von Abenteuerbroschüren, von denen viele schon lange nicht mehr im Handel waren. Wenn er, mit mühsam unterdrücktem Stolz, einige dieser Hefte zum Anschauen mitbrachte, hingen alle Augen fasziniert an den phantastischen Umschlagbildern mit den Seeungeheuern, Moorhexen und den Helden in Knickerbockern mit Sportmützen und Tropenhelmen, welche interessante, allem Üblichen entgegengesetzte Existenzen suggerierten. Durch seine Hefteln war der Lopetz auch Fachmann für Gespenster aus aller Welt, die er gelegentlich unbedenklich ins Fuchsenloch verlegte.

Einmal brachte er eine besondere Rarität. Die war noch aus der Kaiserzeit. Das Heft hatte er seinem Onkel, dem alten Lawitschka, abgebettelt. Es war viel größer als die üblichen, fast wie eine kleine Zeitung; mit einem grellbunten Titelbild, auf dem sie gerade jemanden in einem Eisloch in einem Fluß in Gefahr sein ließen.

Die Geschichte hieß ‹Der Eistote von Omsk› und spielte im wilden Rußland.

Der Lopetz las aus dem Werk und teilte den Buben mit, daß die Russen Wladimir hießen und in dicke Pelze gehüllt seien; mit einem großen Doppeladler aus Goldblech an der zottigen Mütze. Daß sie eine schöne Uniform mit breiten Achselstücken und eine wichtige Mission hätten, die sie zumeist auf einem Schlitten mit Schlittenhunden davor durchführten. Daß in Rußland die wilden Wölfe aus den dichten, unbegehbaren Wäldern kämen, ausgehungert und entschlossen, sich einen fleischigen Kurier und dessen wohlgenährte Fortbewegungsmittel zu holen. «Und die Russen, die Wladimir heißen, ziehen dann einen Revolver und knallen mit klammen Fingern auf das näher kommende Höllenrudel. Und etwa alle fünf Kilometer fällt ein treuer Hund aus dem Geschirr und wird derselbe von den verfolgenden Bestien aufgefressen. Doch der Hundebestand reicht immer aus.» Anders hätte sich der Zar auch nicht so lange halten können.

Die Buben lauschen atemlos, und der damals noch aktive Hofrat, der gerade vorüberkommt, murmelt etwas von Schund und daß die Polizei sich mehr für die Klassiker einsetzen müßte.

Einmal passierten irgendwelche interessanten historischen Vorgänge. Da standen auf der Straße von der Stadt her lange Kolonnen von Lastwagen. Soldaten näherten sich mit vorsichtigen Sprüngen dem Milchgeschäft der Frau Havlik. Und sämtliche Bewohner des Fuchsenloches standen auf der Straße und sahen den spannenden Ereignissen zu.

«San des Russen?» fragte der alte Lawitschka, der auf einem Stockerl vor seinem Haustor saß.

Die Soldaten, die ja nicht wissen konnten, daß ihre Feinde diese Gegend nie gesehen hatten, erreichten den Milchladen und drangen weiter vor.

Andere kamen und wurden in ein gestenreiches Gespräch gezogen. Einer der Soldaten öffnete eine Brieftasche, darin ein ordenreicher Zeitungsausschnitt lag, und sagte «Russkie gut Papa».

«In der Tat», meinte der Trafikant und beugte sich interessiert vor. «Sans teppert?» zischte der Hofrat ängstlich. «Gebns doch das Monokel weg.

Schauns mich an», sagte er dann, immer noch zittrig.

Kambauer betrachtete ihn und erkannte, warum die Vogelscheuche im Schrebergarten des Hofrates seit Tagen nackt war.

Als der Lopetz erwachsener wurde, erzählte er seine Geschichten nicht mehr an zugigen Ecken, sondern in geschützten Wirtshäusern.

Sein unvermeidlicher Gesprächspartner war zumeist der Franz. Nur vertrug dieser mit fortschreitendem Alter den Alkohol immer schlechter, was sich in Unverträglichkeit äußerte.

Der Lopetz hatte das genau studiert und konnte ihn auf den Schluck genau berechnen. Wenn er den Exzeß kommen sah, machte er sich unauffällig davon.

Dann hob der Franz das Tischtuch auf, blickte bekümmert unter den Tisch und dichtete:

«Wo ist der liebe Casimir?
Soeben war er doch noch hier?»

Aber Casimir stand mit seinem Weinglas schon ganz woanders und erzählte dort seine Geschichte fertig. Wie er nämlich dann eines Tages das geheimnisvolle, alte, schon seit so langer Zeit leerstehende und angestaubte Haus betreten hat. Und wie alles bei jedem Schritt ächzte und stöhnte und es gar nicht mit rechten Dingen zuging. Und wie er über die finsteren Gänge und die endlosen Stiegen hinauf bis knapp unter den Wäscheboden kam. Und dort, wo die Stufen endeten, war eine hohe Fensternische. Und auf dem Fensterbrett lag ein Totenschädel. Der krächzte wie ein Rabe und sprang ihm, dem Lopetz, ins Gesicht. Der hat sich aber dann den lästigen Kerl geschnappt, hat ihn durchgebeutelt und ihn wieder an seinen Platz gelegt. Und da liegt er immer noch. Wer's nicht glaubt, der kann hingehn und ihn anschaun.

Friederike Mayröcker

ein Anheimgehen: tief in den Saal des Präparators

wenn in einem läszlichen Hang nach Magnetismus und Chloro-
form er zurückzutrotten scheint in die Einbettungen ihrer Elfen-
beinaugen und -schwingen nämlich in ein kühnes *Verwüstetsein*,
das durch sie, ihren Anblick, ihr Selbstmatt / Fuszkleid, durch die
plötzliche Entblöszung ihres Gesichts (:Windbruch und Kahl-
schlag) in ihm hervorgerufen wird – im heftigen Wind ihre Haare
zur Seite und flach nach hinten gepreszt, so dasz ihre weisze Stirn
und ihre dicht geäderten Schläfen freiliegen : blaues fächerförmi-
ges mehrarmiges Mündungsgebiet und uferwärts ungeschütztes
Beobachtungsfeld, «oder», sage ich, «eine *Zerstirnung* : Kapitäle
die unter der Wucht der Gewölbedecke ihres Schädels zu erzittern
scheinen während des Lindengezweigs *(temporal!)*», – nehme ich
von neuem das Straucheln seiner Stimme, das Beben seiner Glied-
maszen, die Nickbewegungen seines Kopfes wahr, die plötzliche
Schiefstellung seines sich abwärts neigenden Blicks, und mir ahnt
seine Absicht, der artistischen Luft-Kondition des Ladens des Präparators sich aussetzen zu wollen – als einer, der in seinem feuch-
ten Hemde schläft

er erwache so, umklammert von der unabweisbaren Zwinge
des Gefühls, in dem tiefen Saale des Präparators sich eingefunden
zu haben / welche Wände / ihm angefüllt scheinen mit heraldi-
schem Getier Ochsenschädelfriesen Drachengeschlingen riesigen
Greifen Chimären Pollen Käuzchen und Schlangen weiszen Ratten
Fisch-Initialen Kamelreitern konservierten Grasmücken regelmäsz-
igen Schildern Rattenfängern Raketenwölfen Mauerseglern Blut-
fröschen Krokodilen Landverwesern Volks-Pionieren und Flüch-
tern : das Salz sei hier ein *Über-Flusz* / ein Flosz ein Über-Flusz ein
Sprossenwerk der Träume /

«durchs Ö durch diesen Himmelssaal» rufe ich zu ihm und mache, wie absichtslos, ein Zeichen gegen seine Stirn

dies habe beigetragen, murmelt er, dasz er sogleich von rätsel-
vollen ihn in der Tiefe seines Herzens beunruhigenden Erscheinungen sich bedrängt gefühlt habe : der Vorstellung eines Zustan-

des, in dem das Vermögen des harmonischen Zusammenspiels seiner Augen ihm abhanden gekommen zu sein scheine, nämlich als ob jedes Auge, auf sich selbst bezogen, nur noch seinem Einzelantrieb zu folgen wünsche : während das eine Auge die Wahrnehmungen wie einen Trickfilm *vorüberflimmern* lasse, stülpe das andere in besonderer Gier sich über den Traumgegenstand, ohne davon ablassen zu können, auch scheine es ihm, er fühle sich selbst während des Wachens den geträumten Vorgängen verhaftet, etwa der beklemmenden Vorstellung, im Innern eines Berges vor dem absackenden Rauschen eines in das Felsgestein zurücksinkenden Tunnels auf der Flucht zu sein und, von der Gewalt des Gebirges zermalmt, schlieszlich lebendig darin begraben zu werden –

so sei er von neuem von jenen ihn *tief in seinem Leibe durchschneidenden Einbildungen und Bildern* erwacht und von dem Kampfergeruch, das Salzes (Satzes) : AN MICH IST EIN AUTO ZURÜCK UND EIN ZWECK – welche Schwankung ich ihm abzuwehren suche – «weil es wie Stein klingt» sage ich, : «‹AN MICH IST EIN AUTO ZURÜCK UND EIN ZWECK› – weil es wie Stein klingt!»

«mykenischer Typ», murmelt er, «in Wien ist in Österreich / einzige Heimstätte . . .»

«Ö», sage ich, «Beiwacht Heilwacht Faustfeuer!»

«Ö», sage ich, «Feuerfaust Fauvismus Luft-Kondition!»

«Ö», sage ich, «wilde Tiere!»

welche Wände /

aber er sei, ohne zu wissen wie, in diesen *Elefantenladen* geraten : der abstoszende Geruch, der durch die Eingangstür nach auszen gedrungen war, habe ihn *abgewiesen*, aber er habe dann doch mit vorgehaltenem Tuch den Laden betreten / welche Wände /

hier habe sich ihm ein absonderliches widerwärtiges ja schaudererregendes Schauspiel geboten : der Präparator und seine beiden Gehilfen hätten sich die längste Zeit in einer ihm widersinnig anmutenden Weise mit Kadaverteilen beworfen, die sie zuvor mit bloszen Händen stückweise aus dem gehäuteten blutigen augenlosen Haupt des Elefanten herausgerissen hatten (dessen abgetrennter Rüssel wie ein Krummstab in einer Ecke des Saales lehnte) –

sie hätten dabei unverständliche Schreie ausgestoszen, misztönende Laute, hohe Pfiffe

«eine hohe *Zerstimung*», sage ich, «als ob Bäume und Dichter gleiche Inschriften trügen – verharztes Haar, und Hanfblüten, der kleinen Verwüsterin» – ein dritter Gehilfe, der plötzlich aus einem Nebenraum aufgetaucht war und über die Vorgänge betroffen schien, habe, nachdem er in der Mitte des Saales sich im *Kamelsitz* niedergelassen und ein auf seine Knie herabreichendes *Schweisz-*

Tuch um seine Hüfte gewunden hatte, mit einem Schnitzmesser den schwärzlich gerunzelten Säulenstumpf eines Elefantenfuszes auszuhöhlen begonnen

«welche Wände / angefüllt schienen» sage ich, «Kameltier Schopflerchen, an der Wand» – sie seien ihm beinah gegen das Auge getaumelt, *und ihr ans Kraushaar* : Kopfgewimmel, nämlich ein unterworfenes, entgegengeworfenes, Bild, *Einsatzbild*

er habe hierauf den Präparator gefragt ob er ihm etwas verkaufen wolle – : ein Käuzchen die Augen nachtgelb

es sei vielmehr eine Drossel, habe der Präparator erwidert, jedoch auf *Herzeule* getrimmt, und, was zu seinem Gewerbe gehöre : solche Späsze seien die obligatesten! – : dabei fing er zu lachen an

«meine Wohnung ist in Wien zwei Fastenhalbmonde» sage ich, «eine Korkeiche, Schranne, Naturtrompete, alle Westbäume und Sigmabäume, ein Epsilon, Singlaub, präpariertes Klavier, eine Frühgeschichte, eine Elfenbeinkrücke, ein Lieblingsort ein Fastenort eine Faustregel ein Albanien, ein Magnetgewitter eine Drehleier ein Jasminwunder ein Schlehenwunder ein Lilienschweif, ein Überspülungsmeer, von Wien, ein glückliches –

in der Reitschulgasse Habsburggasse schlägt es einem entgegen, der Geruch nach Walrössern Königsadlern Wegscheiden Reisealtären Fensterstörchen Zahnradbahnen Klavieristinnen Wasserlinsen Staatsquellen –

trauliche Grotte, Palatum, einer oberen, Mundhöhle!

und des Wasservogts Fuszfall vor *so viel Weihegegenstand!*

Himbeerknötchen, Paradeisäpfel, diese völlige Durchdringung einer Schneedecke» sage ich, «Liebhaberschneedecke / Brustspitze / Mohne Moose Teufelsbeeren Fronleichnamstage Zungenbänder und ähnlich spalierende Stimmungen» – »AN MICH IST EIN AUTO ZURÜCK UND EIN ZWECK» murmelt er, was ich aber sogleich abzuwehren suche

nämlich, murmelt er, die ihm zugedachten *Erweckungen* hätten bewirkt, dasz er sich heftig zurückverwiesen fühle und es von neuem und nachdrücklich empfinde, *wie lange dieses sein Erdenleben nun schon währe* –

es komme ihm vor, er sei am Endpunkt einer anstrengenden Wanderung angelangt und könne nun, von diesem Platz aus, die lange Spur seiner Fuszreise zurückverfolgen, bis an den Anfang, was ihm, der überwundenen Gefahren und enttäuschenden Fehlschläge wegen, noch im nachhinein den kalten Schauer über den Rücken jage / wie die auffällige Beschwörung aller ihn zu verschiedensten Zeiten seines Lebens begleitenden Menschen : indem er sich in solcher Weise zurückverwiesen fühle, habe er gleichzeitig eine neue Erfahrung gewonnen : es sei ihm gänzlich unvermittelt und eindringlich bewuszt geworden, dasz er von nun ab *beinah alles* zu entbehren imstande sei – ein Zustand, nach dem er früher sehnsüchtig gestrebt habe –

als sei nun kaum mehr etwas wichtig führ ihn, als empfinde er, sein gefallener Körper, im Grunde keine wirklichen Bedürfnisse mehr auszer dem einen einzigen Wünschen:

ohne Ende bei sich zu bleiben, um jenen Auftrag erfüllen zu können, dessen redliche Ausführung an keine andere Bedingung geknüpft sei als an die einer *langen Augenerfahrung*.

Christine Nöstlinger

Meine Nachbarin

Ich muß zu ihrer Leiche gehen, weil sie meine Nachbarin gewesen ist, bevor sie in das neue Haus hat ziehen müssen. Das neue Haus ist am anderen Ende vom Ort, wer nicht von hier ist, kann die paar verstreuten Häuser nicht als Dorf erkennen. Ihr Sohn hat das alte Haus an Wiener verkauft, den Wald und die buckeligen Felder mit den Findlingen hat er bei der Herrschaft gegen ebene Felder getauscht. Das ist gut, weil auf ebenen Feldern leichter arbeiten ist. Das ist schlecht, weil er keinen Wald mehr hat. Das neue Haus hat er neben die ebenen Felder gebaut. Es hat noch keinen Verputz, und die Stufen zur Haustür hin fehlen, aber neben der Haustür, die grauen Hohlziegel bis zum Dach unterbrechend, ist ein breiter Streifen Glasziegel – rot-gelb-lila –, das Bedürfnis nach Schmuck und Schönheit anmeldend. Die Mischmaschine und die Kabelrolle stehen heute geputzt zwischen dem Sandhaufen und dem Schotterhaufen. Kübel, Scheibtruhe und Wasserschlauch sind weggeräumt.

I kann durt ned hamlich wern, hat sie gesagt, wenn sie zu mir gekommen ist. Sie ist nie die Straße entlang gekommen. Den Schlag ist sie hinunter, den Graben durch, die Leiten hinauf, und der Hund war immer bei ihr. Natürlich hat sie dann gejammert, daß ihr die Knie weh tun, aber ich hab mir gedacht, die rennt schneller als ich. Und wenn sie gejammert hat, daß sie nichts essen kann, daß ihr der Magen weh tut, dann hab ich mir gedacht, das ist wie mit dem Knie. Sie jammert und rennt. Sie wird auch jammern und essen.

Wenn sie zu den neuen Nachbarn gegangen ist, in das Haus, in dem sie siebzig Jahre gelebt hat, hat sie sich dort nicht mehr ausgekannt. Wo die die Badewanne stehen haben, ist früher eine Kuh gestanden. Wo sie gekocht hat, haben die den Heizungskessel, und wo die schlafen, hat sie im Winter Wäsche aufgehängt. Und daß jetzt, statt einem, drei Rauchfänge aus dem Dach kommen, obwohl kein Herd, kein Futterdämpfer und kein Brotofen mehr im Haus sind, hat sie nicht begriffen, und man hat es ihr auch nicht erklären können, weil sie fast taub war. Und das hat sie auch nicht begriffen. Sie hat geglaubt, alle reden absichtlich leise. *Waun a oids Leid nima rechd head, kauma do a weng lauda redn!* Einen *Huachabarad* hat sie haben wollen.

Der Doktor hat ihr was von Verkalkung ins Ohr gebrüllt und daß da kein Hörapparat helfen kann. Sie hat nicht mehr vom *Huachabarad* geredet, aber geglaubt hat sie dem Doktor nicht.

Im neuen Haus gibt es keine Stube. Sie ist in ihrem Zimmer aufgebahrt. Der Sarg steht auf Küchenschemeln und ist mit Silberpapier beklebt. Um den Kopf haben sie ihr, wegen der Fliegen, Cellophanpapier gewickelt. Die Verwandten und der Vorbeter sind in der Küche. Auf dem Küchentisch sind zwei offene Weinflaschen, Gläser und ein Bischofsbrot. Die anderen stehen im Vorhaus und im Gang zur Küche hin. *D Enklkina,* sagt der Vorbeter, *bitn um a Vataunsagegrüßetseisdumaria fia ia Großmuta.* Ich geniere mich fürs Nichtbetenkönnen. *D Taufkina,* sagt der Vorbeter, *bitn um a Vataunsagegrüßetseisdumaria fia ia Patntant.* Eine Alte mit Spondylarthritis kommt herein. Einer steigt betend die Kellerstiege hinunter, bringt einen Sauhefen und einen Janker. Die im Vorhaus rücken zusammen. Er stellt den Hefen auf, legt den Janker drüber, die Alte hockt sich hin. Sie hat eine kräftige Betstimme. Der Vorbeter sagt, wir beten jetzt für alle, die schon in diesem Haus vor ihr gestorben sind. In diesem Haus ist noch keiner gestorben, außer ihr. Es ist heiß und es stinkt. Sooft einer dazukommt und die Haustür aufgeht, kriegt man ein bißchen Luft. Daß ein Vataunsagegrüßetseisdumaria kaum zwanzig Sekunden dauert, habe ich nicht gewußt. Ich übe einfache Schlußrechung: Wenn einer in 20 Sekunden, können 100 in 56 Minuten wievielmal?

Aus der Küche kommen vier Kräftige, zwängen sich durchs Vorhaus zu ihrem Zimmer. Wir verlassen das Haus, beten weiter, warten auf die Kräftigen mit dem Sarg. Die tun sich schwer, den Sarg aus dem Haus zu schaffen, weil die Stufen vor der Haustür fehlen.

Der Leichenautozug ist lang und fährt langsam. Bis wir zum Dorf mit der Kirche kommen, ist er doppelt so lang. Schotterlaster, Holzfuhren, deutsche Urlauber und die NEWAG haben sich uns angeschlossen. Zum Überholen ist die Straße zu schmal.

Sie ist gern in die Kirche gefahren. Mit dem Sohn ist sie hin, irgend jemand hat sie dann nach Haus gebracht, weil der Sohn noch ins Wirtshaus gegangen ist. *I bin fro, wauni vun da Ofnluka wegkim,* hat sie gesagt. Sie hat nichts gehört, und sie haben auch nicht viel geredet mit ihr. Aber sie hat gern geschaut, und im Dorf mit der Kirche hat es mehr zu sehen gegeben als sonst. Sonst waren immer alle *ausgflogn. Da Bua mid da Tschesn unds Mensch mid Buama.* Und wenn der Sohn nicht gearbeitet hat, war er jagen. Im neuen Haus ist auch keine Stube gewesen. Jeder hat ein Zimmer gehabt. Keiner war mehr gezwungen, bei ihr zu hocken und sie sinnlos anzuschreien. Sie hat ja nichts mehr begriffen. Hat nicht einmal kapiert, daß sie dem Amtsarzt nicht sagen darf, daß sie zwei Häuptl Salat aus dem Gartl geholt hat. Sie hat nicht gewußt, daß man den Hilflosenzuschuß nicht kriegt, wenn man zwei Häuptl Salat aus dem Gartl holen kann. Vielleicht hat sie es doch gewußt und wollte nur nicht hilflos sein. Sie hat Holz gemacht, aufgeräumt, zwei Kühe gemolken, zum Grasmachen ist sie mitgefahren, und sie hat nicht geglaubt, daß das keiner mehr von ihr erwartet. Der Schwiegertochter hat sie mißtraut. *Schö schauts, wauma nix tät!* Daß ihre Schwiegertochter anders sein könnte, als sie selber vor vielen Jahren war, ist ihr gar nicht in den Sinn gekommen.

Im Dorf steht der Pfarrer bereit, die Kränze kommen vom Autodach, jeder nimmt seinen Kranz über die Schulter, wir gehen zur Kirche, Männer vorn, Frauen hinten, jetzt bittet der Pfarrer um die Vataunsagegrüßetseisdumaria für die Mutter-Schwiegermutter-Tante-Patin-Schwester-Nachbarin im Namen der Kinder-Schwiegerkinder-Nichten-Neffen-Taufkinder-Brüder-und-Nachbarn. Der Chor singt.

Zum Friedhof hin, dann muß der Leichenzug über die Bundesstraße. Auf der ist eine gelbe Riesenmaschine, die spuckt vorne Teerschotter, walzt ihn in der Mitte breit und hinterläßt dampfend neue, heiße, schwarzglänzende Straße. Der Leichenzug geht hinter der Riesenmaschine über die Straße. Heiß weht es bis zum Bauch herauf, und an den Schuhen klebt ein breiter Teerwulst.

Der Friedhof ist weit draußen. Viel trockene Erde ist schon auf den Teerwülsten der Schuhe. Die Sargträger schwitzen. Aber sehr schwer kann der Sarg nicht sein. Mehr als vierzig Kilo hat sie zum Schluß sicher nicht gewogen.

Sie hat ja nur mehr Wasser getrunken, wochenlang nur mehr Wasser. Und wenn sie einen Schluck zuviel getrunken hat, hat sie rotbraunen Schleim gebrochen. Einmal hab ich geholfen, ihr ein frisches Nachthemd anzuziehen. Einer hat das nicht geschafft. Sie hat nicht mehr sitzen können. Die Schwiegertochter hat sie hochgezogen, und ich hab mich hinter ihr ins Bett gehockt, damit sie nicht zurückfallen kann. Sie war so steif wie ein Toter. Wir haben das Nachthemd nicht über ihren Kopf gebracht. Wir haben es vorne aufgerissen, obwohl es ein neues Nachthemd war. Sie war ganz mager, aber die eine Hälfte vom Bauch war sehr dick, wie wenn ein Fußball unter der gelben Haut gewesen wäre. Und der Nabel war dunkelbraun verkrustet, mit einem kleinen blutigroten Tupfer in der Mitte. *Höftsma, so höftsma do*, hat sie dauernd gesagt. Man hat genau hinhören müssen, damit man es verstanden hat. Ins Krankenhaus hat sie nicht wollen. *Losds mi daham*, war der einzige Satz, den sie noch laut gesagt hat. Der Doktor hat erklärt, es kommt aufs Herz an, wie lange sie noch leben muß, und wenn sie große Schmerzen hat, soll man ihn rufen. Aber wer weiß schon, was große Schmerzen sind? Einmal hat sie sich vierzehn Zähne ohne Injektion ziehen lassen und ist nachher acht Kilometer weit nach Hause gegangen. Und das *höftsma, höftsma do* hat sich eher wie ein leiser Seufzer angehört. Und der Doktor hat genug mit denen zu tun, die er wieder gesund machen kann. Man kann ihm nicht lästig fallen. Man kann sie nur umziehen, nicht ins Spital schicken, ihr beim Trinken helfen, damit das Wasser in den Mund und nicht auf die Polster rinnt. Einen warmen Ziegel kann man ihr zu den Füßen legen und ein Hangerl unter das Kinn, damit das Nachthemd nicht voll Blutschleim ist.

Sie lassen den Sarg ins Grab hinunter. Vataunsagegrüßetseisdumaria über ein dutzendmal, die Schwiegertochter weint, alte Frauen schütten aus Magenbitterflaschen Weihwasser auf den Sarg. Einer tritt vor und sagt was ins Grabloch von einer Zeit, wo fremde Horden gekommen sind und sie ihm Unterschlupf gegeben hat, und daß sie ihren Humor und ihren Witz nie verloren hat. Beim Friedhofstor stehen die Männer, die gleich die Totenbilder austeilen werden: Schlaf-wohl-du-treues-Mutterherz-dein-Scheiden-macht-uns-großen-Schmerz-nicht-mehr-hören-wir-dein-lehrend-Wort-. Der Vorbeter sagt, daß die Familie alle Trauergäste und den Herrn Pfarrer und den Chor ins Wirtshaus zur Totenzehr bittet.

Vor dem Wirtshaus ist sie oft im Auto gesessen, wenn sich keiner gefunden hat, der sie heimfährt, bevor der Sohn aus dem Wirtshaus kommt. Im Winter war das sehr kalt. Aber beim Erdäpfelklauben kann es noch viel kälter sein. Manchmal ist sie zur Greißlerin hinüber, zum Aufwärmen. Gekauft hat sie nichts. Ausnehmer mit Anspruch auf Wohnung, halbes Schwein, Mehl, Eier und Holz haben sehr kleine Renten. Und sie hat alles gespart. Das Sparen war ganz wichtig. Zweimal hat sie das Ersparte wieder hergegeben. Wie die Wasserleitung hin war und wie die Traktorreparatur so teuer war. Doch sie hat wieder zum Sparen angefangen, und es reicht für uns – fürs Gasthaus, für 50 Schweinsbraten, 60 Paar Frankfurter, 100 Krügel, 120 Viertel, 50 Cola und ebensoviel Fanta, 200 Schnitten Brot und ein halbes Dutzend Vataunsagegrüßetseisdumaria, bevor wir auseinandergehen.

Ernst Nowak

Glücklicher Gegenstand

Den Gegenstand selbst, der sehr schön und sehr wertvoll sein soll, haben wir zur Zeit nicht in der Hand, doch steht uns eine angeblich getreue Abbildung zur Verfügung, ähnlich einer länglichen, übermäßig großen Ansichtskarte. Leider ist der Abbildung weder eine Maßangabe noch ein Maßstab beigegeben, so daß die wahre Größe des Gegenstandes nicht festzustellen ist (wir halten die Abbildung für eine Vergrößerung). Der Gegenstand scheint zwar sauber aus einer festen starken Platte gestanzt zu sein, könnte aber auch hohl und dünnwandig sein. Die Oberfläche (wie vermutlich auch die nicht sichtbare Unterseite) ist glatt. Die Abbildung läßt nicht erkennen, ob der Gegenstand frei beweglich oder aber mit einer Unterlage und Grundfläche fest verbunden ist. Die Form des Gegenstandes ist von auffallender Unregelmäßigkeit. Es fehlt jedes Gleichgewicht und Ebenmaß, und wäre die Abbildung nicht in ihrem unteren weißen Rand beschriftet, wüßten wir nicht, wie wir sie halten und von welcher Seite wir den Gegenstand anschauen sollten, um ihn in seiner richtigen Lage zu sehen. Er ist länglich und in zwei Teile gegliedert, einen linken und einen rechten, wobei der rechte zwar nur wenig länger als der linke, dafür aber fast dreimal so hoch ist, so daß der langgestreckte und sehr schmale, vom rechten deutlich abgesetzte linke Teil wie ein unten nach links ausgestülpter kräftiger Fortsatz einer übermächtigen Hauptmasse wirkt. Der Umriß ist nicht glatt und klar, sondern eine ununterbrochene Folge verschiedengestaltiger Einbuchtungen, Ausbuchtungen, Einkerbungen und Vorsprünge, eine Folge ohne jede strenge Gerade oder regelmäßige Kurve. Der Umriß (und damit der Gegenstand selbst) wirkt brüchig und scheinbar planlos und eher wie ein Werk des Zufalls und ein abgebrochener oder ausgebrochener Überrest als wie ein absichtliches, künstlich bearbeitetes Erzeugnis. Wir haben noch nie einen ähnlichen Gegenstand gesehen. Er läßt keinen Zweck erkennen. Er ist ein Gegenstand, wie er in der Natur nicht vorkommt. Er ist ein Gegenstand der Unnatur, obwohl seine Umrisse (wenn man die Abbildung hin und her wendet, die Vorstellungskraft sehr anstrengt und zur Veranschaulichung die Vergleiche weit genug herholt) Ähnlichkeiten mit Umrissen natürlicher Gegenstände aufweisen: etwa mit dem Umriß einer liegenden Keule (links der Griff, rechts der große, schief nach oben ausladende Kopf), oder mit einem schräg aufwärts nach rechts schwimmenden Wassertier mit breitem flachem Körper und kräftigem steuerndem Schwanz, oder (aufgestellt) mit einem Baum mit knorrigem Stamm und nur gering ausgreifender, dafür um so höherer Krone, die, einer vorherrschenden Windrichtung ausgesetzt und gehorchend, einseitig schief nach links gebogen ist, oder (um hundertachtzig Grad gedreht) mit einer weit aus ihrem Haus hervorgestreckten Schnecke, die über ein kleines Hindernis hochkriecht und das schwere überhängende Haus hinter sich her schleppt. Der Gegenstand hat einen Umriß, den man nicht vergißt. In seiner sozusagen formlosen Form liegt die unverwechselbare Eigenart des Gegenstandes. Bemüht, diese sonderbare Form zu messen und zu erfassen (aus dem Formlosesten läßt sich ja bekanntlich etwas Geordnetes machen, wenn man nur erfinderisch und geduldig ist und ein passendes Hilfsgerüst anwendet), haben wir dem Umriß des Gegenstandes ein Rechteck umschrieben und dieses Rechteck in vier gleiche Teile geteilt. Dabei hat sich gezeigt, daß die Länge des Gegenstandes seiner doppelten Breite beziehungsweise Höhe entspricht. Die vier Teilrechtecke ergeben maßstabgetreue Verkleinerungen des großen umschriebenen Rechtecks. Die waagerechte Längsachse des Gegenstandes ist zugleich die eine Teilungsstrecke. Der Gegenstand füllt drei Viertel des umschriebenen Rechtecks aus. Das linke obere Teilrechteck bleibt (bis auf eine geringe Fläche im rechten unteren Eck, wo der Umriß von unten und oben her gering übergreift) leer, das linke untere umschreibt den schmalen linken Teil, die beiden rechten Teilrechtecke (zusammen ein Quadrat bildend) umschreiben den rechten Teil, die Hauptmasse des Gegenstandes. Wir haben dann das Rechteck weiter in einhundertachtundzwanzig kleine, unsere tastende Fingerspitze knapp umschreibende quadratische Planfelder unterteilt und daraus die Folge jener einundvierzig Planfelder herausgegriffen, die in den Verlauf des Umrisses einbezogen sind. Um ein Gefühl für die Form des Gegenstandes zu bekommen, sind wir auf der Abbildung mit dem Finger innerhalb dieser Planfelder dem Umriß im Uhrzeigersinn gefolgt. Wir sind dabei vom oberen linken Ende des linken Teiles ausgegangen. Der Finger ist, die obere Grenze nachziehend, von links nach rechts durch eine waagerechte Reihe von acht Planfeldern gewandert, dabei erst im Bogen abwärts an die schmalste Stelle des Gegenstandes, dann wieder steil aufwärts, um einen Vorsprung herum und entlang einer flachen Einbuchtung bis an die Längsachse, dann, über einen kleinen Vorsprung und eine kleine Einbuchtung hinweg, geradeaus ins achte Planfeld und dort schließlich in eine tiefe Einkerbung, womit er den linken Teil hinter sich gebracht und den Ansatz des rechten Teiles erreicht hatte. Um den Umriß der oberen Hälfte der Hauptmasse nachzuziehen, hat der Finger hier die Richtung ändern und die Längsachse verlassen müssen. Einen weiten und hohen Bogen beschreibend, ist er, aus der Einkerbung heraus, steil nach oben durch die zwei folgenden senkrechten Planfelder und um eine kräftige Ausbuchtung gewandert, ist dann um eine Stufe nach rechts höher und durch eine waagrechte Reihe von drei Planfeldern weiter vorgerückt und hat dabei zwei ausgeprägte spitze Vorsprünge und eine flache Einbuchtung nachgezogen, bevor er eine weitere Stufe nach rechts höher und steil nach oben gerückt ist, wo er im ersten Planfeld einer waagrechten Reihe von fünf Planfeldern den äußersten höchsten Punkt und zugleich die breiteste Stelle des Gegenstandes erreicht hat, um darauf, einer flachen Einbuchtung folgend, nach und nach abwärts zu gleiten, dann, nach einer kleinen Ausbuchtung, im fünften Planfeld die Richtung zu ändern und, steil abwärts, durch die unten anschließende senkrechte Reihe von drei Planfeldern, entlang einer flachen Einbuchtung und einer kräftigen Ausbuchtung mit kleinen Vorsprüngen und Einkerbungen den äußersten rechten, dem Ausgangspunkt der Umrundung gegenüberliegenden Punkt des Gegenstandes, also das andere Ende der Längsachse zu erreichen und damit den Bogen um die obere Hälfte der Hauptmasse zu schließen. Jetzt war der halbe Gegenstand umrundet. In rückläufiger Bewegungsrichtung hat der Finger nun von rechts nach links einen weiten und tiefen Bogen um die untere Hälfte der Hauptmasse beschrieben. Er ist zunächst kurz der Längsachse gefolgt, dann aus einer tiefen Einkerbung heraus eine Stufe nach links tiefer gerückt, in das erste von drei senkrecht gereihten Planfeldern, hat eine Ausbuchtung nach rechts nachgezogen, ist senkrecht nach unten, dann um einen spitzen Vorsprung gewandert, ist noch eine Stufe nach links tiefer in das von acht waagrecht von rechts nach links gereihten Planfeldern gerückt, ist, ausgehend von einem spitzen Vorsprung, durch die ersten vier Planfelder nach und nach abwärts geglitten bis an einen nächsten spitzen Vorsprung, den äußersten tiefsten Punkt des Gegenstandes, um sich von hier wieder nach oben zu wenden, durch die übrigen vier Planfelder nach und nach ansteigend, und, nachdem er eine Stufe nach links höhergerückt war, in einem kleinen Bogen steil aufwärts in eine tiefe Einkerbung zu gelangen, wo der schmale linke Teil des Gegenstandes sich von der Hauptmasse ablöst. Hier war die Umrundung der Hauptmasse des Gegenstandes abgeschlossen. Die untere Grenze des linken Teiles von rechts nach links nachziehend, hat der Finger noch eine waagrechte Reihe von sechs Planfeldern durchqueren müssen, ehe er, nach einer kräftigen Ausbuchtung, einer Einkerbung an der schmalsten Stelle des Gegenstandes und einer zweiten Ausbuchtung, steil aufwärts durch das oben angrenzende Planfeld seinen Ausgangspunkt wieder erreicht und damit die Umrundung des Gegenstandes abgeschlossen hatte. Wir müssen sagen, daß sich mit diesem Versuch das erwartete Gefühl für die Form des Gegenstandes leider nicht eingestellt hat und daß der Gegenstand für uns ein Gegenstand wie jeder andere geblieben ist, der, je nach Blickwinkel, schön oder häßlich oder nichtssagend sein kann. Wir meinen, daß um diesen Gegenstand zuviel Aufhebens gemacht wird und daß es außer ihm noch andere Gegenstände und auch noch wichtigere gibt, obwohl seine Besitzer und jene, die ihn benützen und kennen und schon als Kinder mit ihm aufgewachsen sind, auf ihn allein schwören und ihn gegen keinen anderen eintauschen würden. Bis jetzt, sagen sie, habe sich der Gegenstand (der ein altes Erbstück sein soll) immer noch bezahlt gemacht, und man habe sie immer um ihn beneidet. Dem Gegenstand, sagen sie, verdankten sie ihr Glück. Sie reden von ihm, als habe er Zauberkräfte. Aber wir bezweifeln, daß das Glück oder Unglück notwendig an diesen Gegenstand gebunden ist. Wir schauen die Abbildung des Gegenstandes an und fragen uns, warum gerade dieser Gegenstand als bewährter und beliebter Glücksbringer gilt, so daß man ihn uns, in Kenntnis dieser Beliebtheit und in Erwartung eines entsprechenden Gewinnes, zum Weiterverkauf angeboten hat.

Andreas Okopenko

Österreich–Gedichte

Diese Texte sind großteils Spontan-Poesie, also nahezu im Augenblick fertig dagestanden. Die Aussprache der mundartlichen Gedichte habe ich nachträglich weder phonetisch noch artmannsch fixiert, sondern nur beiläufig angedeutet.

Mei Weanerlied

I sitz so gern in Grinzing bei an *Bier*,
in der Heinz-Conrads-Gassn Nummera vier.
Wann die Musi so spüüt
und mei Herz krokodüüt,
sitz i so gern in Grinzing bei an Bier.

Die Lipizzaner spüün an Johann Strauß,
die Wäschermadln ziagn ma d Sockn aus.
Wann die Musi so spüüt
und mei Herz krokodüüt,
da is mei goidans Herz a Bienenhaus.

Die gstööde Wirtin pfnaust «Geh, sei net frech!»,
der liabe Herrgott zahlt für mi die Zech.
Und im Dusel siech i gleich
meine wunderschöne Leich,
und der Pompfünebrer waant vur lauter Blech.

Theresianisches Scheiterhaufenurteil

Erstens – sindS Herr Kerstens.
Zweitens – streitenS.
Drittens – strittenS.
Viertens – nia kniatenS.

Fünftens – rümpftenS.
Sechsens – hextenS.
Fünftens – (waass i nix mehr)
Viertens – jetzt blüatenS.
Drittens – jetzt bittenS.
Zweitens – jetzt läutens.
Erstens – jetzt berstenS.

Speziallebensziel:

in den Hohen Tauern
Bauern überdauern.

Sennenlied

Über allen Wipfeln
frißt die Kuh voll Zorn
ihre Butterkipfeln
und riskiert ein Horn.

Kohlenrevier

Als er in den Himmel kam,
roch es dort nach Timelkam.
Und da dämmerte ihm schnell:
dieser Himmel ist die Höll.

Fanatiker

«Die Arbeit hoch» is no z weng;
so hoch, daß i s garnet dergleng!

Manometer-Song

Und da stöll i mi hin mit erhöhtem Druck
und spuck und spuck und spuck.

Ja da stöll i mi hin mit so vü atü
wia i wü, wia i wü, wia i wü.

Und kummt de Frau Lebn, da gibts a Gspü –
wann i Glück hab, begleit uns a Grü.

Aber kummt der Herr Tot und drosselt s Ventü,
da sag i: na glaubst, des war vü?

Wiener Clique

Es gibt keine «neuen Ufer»,
es gibt nur an alten Kaas.
Nach der Ezzi kommt höchstens die Pizzi
und nach der Pizzi die Gutzi –
mir gengan alle im Kraas,
mir gengan alle im Kraas.

Wiener Wäsche

Des muß a Armer sein
Des muß a Warmer sein
Des muß a Schwed sein
Herst, der muß bled sein
Der muaß an steifen Fuaß ham
Der muaß daham an Ruaß ham
Muß nie a Frau ghabt ham
Muß jede Sau geschnappt ham
Muaß hundert Faarln habn
was in der Sööch rumtrabn.

Männerwelt

An Nackertn an Schwinger gebn
da hast du wirkli mehr vom Lebn
da hast du wirkli mehr vom Lebn
an Nackertn an Schwinger gebn

und wirkli so an großn Wagn
da brauch i di jetz nimmer tragn
da brauch i di jetz nimmer fragn
sag kriagst jetz bald an großn Wagn?

Und deine Katz hast jetz daschlagn –?
Pfumm wumsti klatsch, da steht mei Kragn!
Da derf i mi jetz nimmer zaagn
Flusch, bojng, da bliat jo glei mei Magn!

Pause vor 3. Weltkrieg

Druckt di der Gsundheitsschuh,
schau deinem Weiberl zu
bei ihrer fuffzehnten schluffzenden Zangengeburt.
Und dann geh bloßfiaßig
über das brennende Gras,
über nn Sand, der was jetz einschmüüzt zu Glas,
bloßfiaßig, bloßfiaßig furt.

Peter Rosei

Österreich

Leute wie ich sollten sich zu einem solchen Thema besser nicht äußern. Sie sollten höflich beiseite treten, Platz machen, sich verdünnisieren, untertauchen. Sie sollten sich dorthin zurückziehen, wohin sie nun einmal gehören: an den Rand.

Ich bin Schriftsteller. Ich bin Angehöriger einer Minorität, einer Randgruppe. Mir zunächst finde ich Schwindler, Gauner, Stromer, Wahnsinnige, Nutten, Weltverbesserer, Arbeitsscheue, Tippelbrüder et cetera. Man hört das nicht gern, aber da sind wir, da gehören wir hin.

Wer hat denn nur dieses Thema erfunden? Wer hat denn nur dieses Thema gestellt?

Gestern, es war ein Tag im Vorfrühling, trat ich vor das Haus, welch ein Staunen, sah ich, daß alles voll Schnee war. Wie seltsam war das anzuschauen, der blühende Haselstrauch im Schnee und die Weidenkätzchen unter dem weißen Gepluster und die Grasspitzen unter dem weißen Geflock!

Närrisches Wetter, sagte ich bei mir, schritt kräftig aus und warf den Schnee mit den Schuhen in die kühle, klare, nüchterne Luft.

Seltsam: Seit meiner Geburt lebe ich, von kürzeren Unterbrechungen abgesehen, in diesem Land – und doch will mir dazu aufs erste nichts einfallen.

Wenn ich's recht überlege, fällt mir zuviel dazu ein. Und wenn ich's noch besser überlege, sehe ich, daß mein Zögern nichts mit dem Einfallen oder Nicht-Einfallen zu tun hat, sondern mit dem Umstand, daß ich geprüft werden soll.

Unsolide neigen dazu, Prüfungen tunlichst zu vermeiden. Ihr Bewußtsein ist ein Unikum: Es ist fast ausschließlich privat.

Gestern war's mir wohler. Ich streifte durch den Wald. Der Wind warf den Schnee von den Bäumen. Schon waren allerhand Blüten an dem dürren Gehölz ...

Seltsam: In Österreich wird über Österreich nicht allzu viel geredet. Da faßt man sich kurz, da hat man gleich alles beisammen: Man ist Demokrat, Republikaner, immerwährend neutral.

Man ist Österreicher, aber man merkt das nicht so. Ich bin auch Österreicher. Als ein aus dem schon halb verkleinbürgerten Nachkriegsproletariat hervorgegangener Akademiker, der ich, ob's mir gefällt oder nicht, bin, dürfte ich ziemlich genau den Typus repräsentieren, der bezeichnet wird als: der Intellektuelle, der zwischen den Klassen steht.

Nach dem Abgang von der Universität stellten sich die Alternativen so dar: einerseits der Aufstieg und die damit verbundene Assimilation an das Bürgertum, andererseits die Suche nach einem Weg, der gewissermaßen an der Gesellschaft vorbeiführt. Zum Ergreifen der ersten Möglichkeit sah ich mich außerstande, weil ich, meinem Herkommen verbunden zu stolz war, mich anzupassen. Zwar unternahm ich, getreu der mir anerzogenen Parole: Vorwärts, nach Oben! Einige Versuche, mich gegen besseres Wissen zu vergewaltigen, hatte Erfolg damit, doch mein Leben, das spürte ich deutlich, war das nicht.

Die Annahme des zweiten Weges, man könnte ihn als gesellschaftlich tangential bezeichnen, basierte auf einem typisch kleinbürgerlichen Denkfehler. Diesen Weg gibt es nicht. Auch der Desperado ist Mitglied der Gesellschaft, wenn auch nur randständiges. So kam ich zur Kunst.

Ich schrieb einmal:

Zwar gehöre ich einer aufstrebenden Klasse an, aber ich bin frei von Illusionen und besitze nicht die Fähigkeit zur Selbsttäuschung. Ich weiß also, wie es um uns bestellt ist, daß es mit uns schon vorbei war, ehe wir noch anfingen, in die Macht zu kommen. Wir sind, und das kann in Anbetracht unserer Jugendlichkeit kein Trost sein, Geschichte.

...

Ich weiß also, wie es um uns bestellt ist, daß wir, weil nur mit umfassendem Neid ausgestattet, zur Veränderung nicht imstande sind. Was aus uns werden wird, wenn etwas werden wird, steht fest: Herren, nichts anderes.

...

Kunst ist Selbstverwirklichung ohne Anpassung an die Herrschenden, ohne Anpassung an die Beherrschten: Eine falsche, eine bedauerliche, eine im Kern asoziale, antisoziale Auffassung?

Meine Entscheidung zur Kunst kann als Ergebnis einer Frustration gedeutet werden, ich weiß. Das ist mir allerdings gleichgültig. Als Künstler bin ich Lieferant der Bewußtseinsindustrien, die, wie wäre es anders möglich, fest in Händen der Herrschenden sind. Die Waren, die ich als Künstler herstelle, unterscheiden sich aber doch von allen anderen. Sie reflektieren gewissermaßen über sich selbst. Ich bin stolz darauf, Hersteller eines Stoffes zu sein, dessen Kritische Masse, dessen Sprengkraft nur schwer bestimmt werden kann. Und Österreich?

Ja, ja: Österreich – wenn ich das Wort höre, beginne ich zu lächeln.

Ob das richtig ist?

Als Vertreter einer ausgesprochen subversiven Profession muß es mich verwundern, im auf Ruhe und Ordnung bedachten Österreich nicht nur geduldet, sondern sogar gefördert zu werden. Wie ich die Situation beurteile, fußt meine vergleichsweise gesicherte Existenz jedoch nur zum geringsten Teil auf einem positiven gesellschaftlichen Konsens darüber, das ich bin und was ich tue, sondern im Großen und Ganzen auf dem bildungsbürgerlichen Irrtum, der Kunst noch immer mit genie-entsprungener Erbauung verwechselt.

Kann da meine Haltung zu Österreich noch länger erstaunen?

Es ist ein im Grunde doch liebevolles Verzeihen, ein amüsiertes Zuschauen ohne Hohn, eine Art von Herablassung, die deshalb ohne Überhebung ist, weil ich mich auch selbst damit meine.

Man könnte sagen: Er nimmt sich selbst nicht allzu ernst, und deshalb ...

Man könnte aber auch sagen, und hierin träfe man noch am ehesten das, was man als den Kern meiner Haltung bezeichnen könnte: Die Machtgebilde, die die Menschen im Lauf ihrer Geschichte entwickelt haben und deren komplexeste Typen, die man STAATEN nennt, diese Organisationen waren mir des Anspruchs wegen, den sie dem einzelnen gegenüber erheben, immer unbehaglich, bedrohlich. Bei Bakunin und den Denkern im Umkreis des Anarchismus, wie etwa Russell, ist dieses Unbehagen politisch ausformuliert; das leuchtet mir ein, aber ich bin nur in Grenzen, in engen Grenzen, ein politischer Mensch.

Ich lebe. Man hat mir den Namen PETER ROSEI verpaßt. Unter diesem Etikett bin ich gesellschaftlich greifbar. Manchmal, wenn ich in der Landschaft spazierengehe und es ist sonnig, die Abhänge duften und aus dem Wald weht Kühle herüber, wenn ich so gehe, denke ich, daß diese Verfügbarkeit bloß ein Mantel ist, ein Umhang – den kann man mir wegnehmen, aber das andere nicht.

Ein ähnliches Gefühl stellt sich vor der Gewalt ein, etwa in den Städten: Ich schaue zu, wie jemand in einer Bar zusammengeschlagen wird, man bedroht mich, weil ich stolz bin, doch ich weiß, ich bin unverletzbar, irgendwo – so kann mir nichts passieren.

Wie das wohl ist, wenn sich die organisierte Gewalt des Staates gegen einen richtet? Wie wird man sich verhalten? Wird man vernichtet werden?

Ja, ja: Österreich, Du friedliches, gewaltloses! Hier war's auch schon mal anders, und lange her ist das nicht.

Ich bin hier in den Nachkriegswirren gezeugt worden. An die Besatzungssoldaten erinnere ich mich gut. Den Tag des Staatsvertrages erinnere ich als einen der Freude, des Jubels. Dieser Tag ist ein ferner, undeutlicher, glückseliger Spiralnebel in der Tiefe meiner Erinnerung. Ich war ein Kind; was nachher kam ...

Es gibt ein Gedicht von Majakowski, in dem er seinen sowjetrussischen Paß besingt, den Stolz, ja den Triumph, den er beim Vorzeigen dieses Dokuments an fremden Grenzen empfindet. Es ist ein schönes, ein wunderbares Gedicht, aber nachvollziehen kann ich es nicht.

Ich würde immer DRAUSSEN stehen, wo immer ich hinginge. DRAUSSEN – dort bin ich eigentlich zu Hause. So ist das, das ist alles. Da bin ich, da stehe ich.

> *Oh as I was young and easy in the mercy of his means,*
> *Time held me green and dying*
> *Though I sang in my chains like the sea.*

So long, Dylan! Du bist durch, hast's geschafft; ich bin da, ich muß weiter.

Gerhard Rühm

Wölkchen

Jutta Schutting

Ja – Nein – Ja

I 1908

ziemlich genau vor siebzig Jahren war sie als Zehnjährige am Tag vor dem sechzigsten Regierungsjubiläum des Kaisers nach langem Bitten und Betteln dem Kaiser zu Ehren aus der Sommerfrische Bad Vöslau allein nach Wien zurückgekehrt, in einem Karton das weiße Festtagskleid und die Lockenwickler, um sich an dem kaiserlichen Morgen festlich gekleidet und schön gelockt in aller Früh in der Schule einzufinden und mit den anderen Kindern der Klasse dem Kaiser zuzuwinken

alle Straßen waren schon um fünf Uhr morgen für den Verkehr gesperrt worden, und so traf ein, was sie, in dem langen weißen Kleid eine Stunde später durch die Straßen laufend, schon geahnt hatte, als sie immer wieder auf Klassenzüge gestoßen war, die in wohlgeordneten und voneinander abgesetzten matrosenblauen oder weißen Rechtecken wie kleine Heeresabteilungen aus allen Teilen der WienerStadt nach Schönbrunn marschierten: der Schuldiener – ja Frieda, was ist denn mit dir? – war gerade dabei, das Schultor zuzusperren: die Schule ist längst nach Schönbrunn unterwegs, beeil dich, vielleicht holst du sie noch ein, ihr zieht über die Sechshauserstraße!

und so lief sie, so gut sie in dem weißen langen Kleid laufen konnte – der Schulwart hatte ihr noch schnell eine schwarz-goldene Schärpe umgehängt –, weiter durch die Straßen, holte Klassenzug nach Klassenzug ein, aber noch immer nicht stieß sie auf den einen, in welchem eine Mädchenreihe unvollständig war, und so überholte sie laufend viele weiße Mädchenrechtecke und viele matrosenblaue Bubenrechtecke – jeder Bub hatte einen Matrosenanzug an und einen rot-weiß-roten Wimpel in der Hand –, bat keuchend einen Polizisten um Rat, der in einem Plan nachschaute, welche Route ihre Klasse eingeschlagen hatte und bis Schönbrunn einhalten würde,

und wirklich: knapp vor Schönbrunn, wo alle Klassenzüge wie

ein aus vielen Sternen zusammengesetzter Stern aufeinanderzuschwenkend zusammenliefen, erkannte sie ihre Mitschülerinnen und war sogleich in das weiße Rechteck eingereiht worden.

und so standen dann die vielen Schulkinder im Park von Schönbrunn – vor dem Schloß waren alle Blumenbeete und Wiesen entfernt worden – und bildeten einen riesigen blau-weiß gemusterten Fleckerlteppich. den Kaiser und die Kaiserin sahen sie nicht, die Kaiserin war ja auch schon Jahre tot, aber sie sahen durch die Hinterseite einer Tribüne auf singende und tanzende, weiß und blau wie sie selbst gekleidete Kinder.

und dann schaute sie in die Schönbrunner Allee zurück: hinter Büschen, von Zweigen verborgen, standen viele Rote-Kreuz-Wagen, es war ja sehr heiß, und viele Kinder waren schon seit fünf Uhr früh in den engen Kleidern unterwegs, und die Rast, die auf dem Marsch nach Schönbrunn des öfteren vor einem Hydranten eingelegt worden war, damit die Kinder gelabt würden, hatte Ohnmachtsanfälle nicht verhindern können, weil die zwei Papierbecher, die pro Klasse von den Lehrpersonen mitgeführt wurden, bald aufgeweicht waren und die festlich gekleideten Kinder nicht gut aus der hohlen Hand trinken konnten und auch später das Schwenken der Wimpel nicht viel Abkühlung brachte –

und so sah sie denn auch in den Alleen auf vorsorglich vorbereiteten Graspolstern blasse weiße Mädchen reihenweise ausgestreckt daliegen, auch kleine Matrosen, die Rote-Kreuz-Schwestern legten ihnen kalte Kompressen auf die Stirn, die, weil die Kinder so regungslos dalagen, wie Kopfverbände aussahen:

und diesen Kindern war es ein Trost, glaubt sie sich zu erinnern, daß der Kaiser auch jetzt nicht in einer Kutsche durch die Schönbrunner Allee fuhr, denn sie wären zu müde und zu schwindelig gewesen, den Kopf zu heben, um ihn aus der Kutsche winken zu sehen.

II Wirtshaus

ein weitläufiges Wirtshaus, das mir, wiewohl die Mehrheit seiner schlecht beleuchteten Wintergärten Extrazimmer und Buschenschenken über die Kellerstiege erreicht wird und nirgends zwischen dem grau gewordenen Tannengraß auch nur ein Gipfel oder Kirchturmkreuz zu sehen ist, als Tiroler Dorf erscheint.

das ist so wohltuend an Tirol, sage ich zu meinem Bruder, daß man dort auch mit älteren Leuten über einige Jahrzehnte Zurückliegendes reden kann, ohne daß der bis dahin sehr liebe Mann plötzlich melancholisch wird und dann schreckliche Dinge über die große Zeit sagt, hier trifft man kaum auf das österreichische Unteroffiziersgesicht, und sooft einer – sicherlich hat das mit Südtirol zu tun – «ja, das war unter den Nazis» sagt, weiß man, daß man endlich wieder im heiligen Land Tirol ist!

wir kommen an einem Tisch vorbei, an dem eine Stammtischrunde diskutiert – hast du gehört, «mindere Rasse» hat er, stolz auf seine eigenen Kühe, über die des Nachbarn gesagt, ist das nicht rührend?, und die Schnapser dort drüben beklagen bloß den verlorenen Stich, und der «Kamerad», der den Bärtigen «herausgeholt» hat, ist ein Bergsteiger wie er, jetzt kommt nicht die «Hölle von Stalingrad», sondern die Martinswand! wir könnten uns auch zu der Akademikerrunde setzen, das sind keine Schmisse, sondern Schnittwunden, vermutlich von einem Sturz durch die Windschutzscheibe, und wenn jetzt einer «sofort aufhängen» sagt, bezieht sich das auf den durchnäßten Lodenmantel, und «an die Wand gestellt» gehören nach der Meinung des strengen Herrn Wirtes die Schier.

nein, da haben wir uns verhört, antworte ich mir selbst, als einer mit verächtlicher Geste seinen Blick auf den TV-Schirm kommentiert, zweifellos hat er «Sauhund» gesagt, das ist derbe Bewunderung für Verwegenheit, und das an der Wand ist keine böse Karikatur eines im Kaftan, gewiß nicht, das ist der Kapuziner Haspinger, Weggefährte Andreas Hofers, dessen Geschichte es auch zu danken ist, daß kein Tiroler von «sogenannten Widerstandskämpfern» redet. aber kaum, daß ich auf ein altes Paar in Landestracht zeige, höre ich vom Nebentisch herüber, so deutlich, als ob wir es hören sollten, man könne sagen, was man wolle, die SS sei die Einheit mit den schönsten Uniformen gewesen, und da dränge ich den Bruder schnell ins nächste Extrazimmer, vielleicht überschreiten wir doch erst jetzt die Kärntner oder Salzburger Landesgrenze. und wieder sagt einer, daß «der Adolf in so einem Fall kurzen Prozeß gemacht» hätte – ach, da ist vom letzten Trainer der Nationalmannschaft die Rede, steht nun mein Bruder meinem Glauben an die Tiroler Unschuld bei, ganz gewiß, sonst würde sein offensichtlich mit ihm übereinstimmender Nachbar doch nicht diese Visage, der Schnurrbart und die Haarsträhne sind doch eindeutig, natürlich ist er es, als Faschingsmaske wählen, die beabsichtigte Wirkung kann doch nur eine Gänsehaut sein!

wenigstens ist dann nicht zu verstehen, was ein Betrunkener, lachend und salutierend aufgesprungen, in die Bierkrügelrunde ruft, da sich das Dröhnen um uns als Badenweilermarsch zu erkennen gibt und alle betroffen schweigen. hast du das Schild gesehen ‹Nur für Stammgäste›?

aber schau dir doch diese Geweihschilder an, dann weißt du gleich wieder, daß Untersalzberg doch in Tirol liegt – am 13. März 1938 hat einer, statt auf den Heldenplatz jubeln zu gehen, lieber einen Bock geschossen!

ich weiß nicht, sagt mein Bruder, darunter steht aber ‹Ostmark› und auf dem Schild daneben ‹Org. Werwolf, April 1945›. und was ist dort drüben für eine Versammlung?

ein Lichtbildervortrag über eine Fahrt von Linz nach Wien, er hat gerade über eine Ortschaft mitgeteilt, daß sich dort einmal ein Mauthaus befunden habe, aber ich glaube, wir täuschen uns trotzdem, jetzt trinken und schnapsen sie wieder ganz friedlich, Schützenorden sind erlaubt, und das ist das goldene Sportabzeichen, niemand kann etwas dafür, daß Andreas Hofer und A. H., das fällt mir jetzt erst auf, dieselben Initialen haben.

entschuldigen Sie – ist das eine Hufschmiede?

nein, hier werden die Schmiedelieder aus dem ‹Siegfried› von unserer Jugend geübt!

entweder sind wir doch nicht in Tirol, sage ich leise, gehen wir in ein anderes Restaurant, oder der Kameradschaftsbund tagt unbegreiflicherweise in Tirol, und da sehe ich, daß ausgerechnet der Kachelofen ein Kriegerdenkmal und der Saal als Wehrmachtsmuseum eingerichtet ist, eine Sondermeldung kommt aus einem Grammophon, und ein junger Mann umkreist uns mit einem Pack Zeitungen auf einer Wehrmachtsmaschine.

nein danke, wir können gotische Druckschrift nicht lesen, und das Telefongespräch muß für jemanden aus dieser geschlossenen Gesellschaft ohne Öffentlichkeitsrecht sein, ich kenne keine Frau Mussolini!

nein danke, wir haben hier nichts verloren, wir haben nur jemanden gesucht, Sie brauchen uns gar nicht so beleidigt anzuschauen, ich weiß schon, was die LAH war, die Leibstandarte Andreas Hofer, nicht wahr, und wenn Ihnen für die heurige Faschingsausgabe der Nationalzeitung, ich kenne ja die gspaßigen Visionen der vorjährigen von den Überschriften, ein Zeichenwitz fehlt, wie wäre es mit diesem: einige Juden stehen nackt vor der Gaskammer, sagt einer zum anderen: aber Herr Doktor, Sie haben ja Ihre Aschenschale mitzubringen vergessen! in diesem Sinn eine Gute Nacht Ihnen und Ihren alten Kämpfern! komm, gehen wir!

nun, sagt mein Begleiter, der Bunker hallt von seinen Schritten, er trägt plötzlich schwarze Schaftstiefel mit Sporen und ist nicht mehr mein Bruder, kennen Sie auch das Wort ‹Achtung, Feind hört mit!› und wie, glauben Sie, heißt dieses Dorf?

das ist zweifellos ein österreichisches Wirtshaus, eine Kette von

österreichischen Provinzwirtshäusern und Bahnhofsbuffets, großteils oberösterreichischer, salzburgischer und kärntner Herkunft,
etwas Wien ist auch dabei, aber Sie können mich nicht einschüch-
tern – was hier vorgeht, ist längst verboten, ein Anruf bei der Polizei, und der Spuk hat ein Ende.

draußen sind wir verboten, aber wie's hier drin aussieht, geht
niemanden was an: unsere Operationen sind damals mißlungen,
aber das Totgesagte lebt, und wir warten auf seine Genesung. und
Sie lassen wir nicht früher ziehen, als bis wir Sie von Ihrer Sepsis
gesund gemacht haben, Sie haben den Schweinerotlauf, ob die
Operation gelingt, wird sich weisen,

und er schiebt mich gegen eine Tür, auf der ‹Gesta-OP.› steht.

III Österreichische Landschaft

die Landschaft eilt über einige Wiesen, biegt auf einem Feldweg
ins Getreide ein, senkt sich eine Wiese hinunter, eilt einen Hügel
hinauf, entdeckt sich in einer Mulde vor dem nächsten Hügel,
senkt sich in ein Haferfeld, macht die eingezäunte Wiese zum An-
lauf auf den nächsten Hügel, senkt sich unversehens in ein Weizen-
feld, zieht den Wald an die Felder heran und schiebt ihn einen anderen Hügel hinauf und hinunter, entdeckt sich inmitten einer
Gruppe Mostbirnbäume, läßt sich in einem Gerstenfeld liegen und
eilt sich zwei Hügel voraus, biegt in einen Graben ein und kehrt
im Gerstenfeld in sich zurück, hebt die eingezäunte Wiese drei
Wegwendungen später einen anderen Hügel hinauf, begegnet sich
in einem dunklen Braun, verläßt sich am Beginn einer Ortschaft,
aber bleibt in sich in einer Scheune einem Vierkanthof einigen
Hecken und einer Kapelle, setzt sich zusammen aus Hügeln mit
Wiesen Hügeln mit Wäldern Hügeln mit Feldern Hügeln mit Wäldern und Feldern und Mulden mit Feldern und Wäldern, teilt sich
vor Baumgruppen Hecken Bächen Wegen und Straßen in diese
und jene Hügel und Mulden mit Feldern und Wäldern, spielt mit
sich nachlaufen verstecken und rastet, wo Wiesen Wälder und Felder zusammenstoßen, entdeckt sich in einem hellen Grün, verstellt
sich mit Hügeln und Hügeln und noch einem Hügel den Horizont, begegnet sich in einem dunklen Grün, eilt mit dem Weg und
den Mostbirnbäumen gleich zwei Hügel hinauf und hinunter, rastet in einem Graben und ist, wo sie den nächsten Hügel sein wird:
in einer Wiese in einem Feld oder der Mulde auf dem Hügel, und
bleibt zugleich, wo sie gewesen ist – drei Hügel fünf Wiesen drei
Baumgruppen links davon und drei Bach- und zwei Wegwendungen rechts darunter bzw. fünf Hügel drei Mulden dahinter.

Hilde Spiel

Nur nicht die Wirklichkeit

Zum Begriff sich bekennen, nicht zur Realität. In den kleinsten Teilen lieben, was im ganzen so schlimme Züge annehmen kann. Ich wurde geboren, als dieses Reich groß und verästelt war, in vielen Zungen redend, geeint durch die Armee. In der Armee, denn ich war kaum schon bei Bewußtsein, als der Krieg ausbrach, lernte ich die Leute und Landschaften an den Rändern kennen, als Kind eines Offiziers der Reserve, der in Mähren und Polen im Kader lag. Sommergelbes Krönau bei Olmütz, ich habe es oft beschrieben, wo ich in einem niedrigen Bauernhaus auf dem Betteinsatz hüpfte, weil mein Vater Leutnant geworden war. Krakau im Winter, klirrend himmelblau und schneeviolett, mit spitzen und zwiebelrunden Türmen. Der Pfeifendeckel Kleinrock und der Pfeifendeckel Rühr, Burschen in hechtgrauer Montur, der eine mit galizischem Tonfall, der andere ein biederer Niederösterreicher, die das kleine Mädchen hegten, und die Festlichkeiten des Ärars, die märzlichen Gartenrestaurants, durch deren Räume und Laubengänge die geschnürten Damen mit den Pleureusenhüten, die Herren im Waffenrock sich bewegten. Gott erhalte. Er erhielt es nicht. Aber ich sah noch, von einem Erkerfenster in der Wollzeile, den Leichenzug des alten Kaisers vorübergleiten wie ein Schattenbild, und die Frauen um mich, deren Männer im Felde standen, weinten. Wozu gehörte man? Zu dem Elend des geschlagenen, verengten Landes, zu der novembergrauen, zerrütteten Stadt, hinter Grenzen mit einem Mal die ungarischen Vettern, die Familie unserer Anna, Kinderfrau schon meines Vaters aus dem tschechischen Czenstochau, zu den ausgehöhlten Menschen, die Wrucken und trockene Polenta aßen. Ich reiste nach Dänemark, im Gepäcknetz des überfüllten Kinderzuges, lebte sechs Monate unter Dänen und hörte im Tivoli zwei kleine Wiener miteinander im Dialekt sprechen und verstand sie nicht. Das, was ich verloren hatte, war Österreich, die Summe meiner noch so kurzen Erinnerung, war das Detail, die Vedute: der Heiligenstädter Pfarrplatz mit seinem Nepomuk und den vier Ahornbäumen, war das Kaninchen in jenem Hause gegenüber dem unseren, in dem das Heiligenstädter Testament niedergeschrieben worden war. Nicht Beethoven, dem Kaninchen weinte ich nach in diesem Kopenhagener Vergnügungspark, ergriffen von der Vorahnung eines viel entsetzlicheren, weil dauerhafteren Verlustes. Mit fünfundzwanzig Jahren verließ ich mein Land, wollte nun in London leben, aus Abscheu und Abwehr gegen den Hahnenschwänzlerstaat. Gefährlichere Embleme wurden wenige Jahre später auf den Schildmützen getragen. Und jetzt, durch den Kanal von Europa, durch kampfgeschüttelte Erdstriche von Österreich getrennt, formte sich der Begriff, denn die Wirklichkeit war feindlich. Er setzte sich zusammen aus Liedern und Gedichten, aus verschneiten Waldschneisen und Wiesen voll Löwenzahn, aus langen Nachmittagen im Spätherbst bei russischem Tee und ebenso slawisch entblößter Seele, aus verrauchten Nächten an einem Marmortisch des Café Herrenhof. Es war die Zeile des Wanderers ‹Wo bist du, wo bist du, mein geliebtes Land?› – die knarrende alte Schallplatte, auf der Kipnis die Worte sang, mein Vater hörte sie hundertmal und ließ dabei die Lider sinken. Es war die Kontur der Salesianerkirche am Rennweg im türkisfarbenen Abend. Es waren der kühle und weihraucherfüllte Dom mit dem theatralischen Goldprunk und Kerzenglanz und die abgeblätterten Mauern einer Vorstadtschenke in Neuwaldegg oder Nußdorf. Wer reißt sich das aus dem Herzen, wen holt es nicht immerfort, wenn er in englischen Bombennächten an das verbotene Land denkt, dorthin zurück? Gewiß hieß mein Lied der Hoffnung damals ‹When that man is dead an gone, we'll be dancing down the street, kissing everyone we meet›, aber diesem Mann waren meine Löwenzahnwiesen untertan, meine Vorstadtschenken hörig. Viel, viel später stiegen sie wieder aus der Sintflut auf, kehrte ich zurück, zögernd erst, mit aller Vorsicht, dann mit einem Fuß auf dem Boden, dann für immer, während die zweite, die schützende, tröstliche, gute und gütige Heimat langsam hinter dem Horizont verschwand. Hatte ich richtig gehandelt, war es klug, dieser Realität wieder zu vertrauen, in der alsbald Rankûne sich ballte und Intrige sich schlang, wo Gestalten von der bleichen oder feisten Dämonie Thönys und Kubins mich um die Lebensfreude brachten? Doch der Begriff war geblieben, er schwebte mir vor, sobald ich nur einen Schritt außer Landes setzte. Alles, was der verquälte Grillparzer in seiner Prosa niedergeschrieben hatte, Nestroys beglückende Witzweisheit, das venezianische Barock des ‹Andreas› und Schnitzlers ‹Die kommt nicht wieder›, Doderers fabulöse Metaphern, sein mir so eng vertrautes Gefühl für diese Stadt, in der man stets ‹im raschelnden Laube der

Vergangenheit› geht. Orte, ja Orte. Eine Bank im Garten des Belvedere, wo ich als Schulmädchen ein Motiv in Kornblumenblau und Lachsrosa stickte. Der zerstörte Resselpark, in dem ich, zwölfjährig, mit Schurl Wahringer und Stella Werner saß und beide, die einander ungeschickt umarmten, hoffnungslos liebte. Der rote Nachthimmel, räudig über einer Praterau, die Kugeln der Meterologischen Versuchsanstalt auf der Hohen Warte, die sich im Winde drehen, oder drehten sie sich nie? Österreich: das ist die Geschichte, in die ich eines Tages eintrat, Fannys Salon und die Abendgesellschaften der Josephine von Wertheimstein, Pulverdampf von Solferino und Königgrätz. Es sind der Anblick der starren Karyatiden im Goldenen Saal, wenn Mahler dirigierte, und Klimt mit den schönen jüdischen Damen in seinem Atelier. Es sind die vereisten Hohlwege meiner Jugend, der Anstieg auf den Hahnenkamm, der zwei Stunden währte, es sind die heißen Bretter eines Bootshauses am See, in den dreißiger Jahren und im Vorjahr, aber niemals heute, niemals jetzt, denn das Jetzt scheuche ich von mir mit seinen bösen hinkenden alten Frauen, seinen fluchenden Autofahrern, die sich an die Stirne tippen, seinen feixenden Literaten, die in allen Ecken ihre Pfauenräder drehen. Ich habe die Hälfte meines Lebens nicht in meinem Vaterland verbracht, ich habe seit meinen frühesten Tagen andere Städte geliebt wie Viareggio und Paris, wie Brügge und Venedig, wie Cambridge und San Francisco und New Orleans, aber ich will nirgends anders zur Welt gekommen sein, will diesen Begriff mit mir tragen, will in dieses Österreich eingehüllt sein, wo immer und wie lange ich auch bin.

Peter Turrini / Wilhelm Pevny

Der Bauer und der Millionär

Eine Filmerzählung

Der Besitz des Bauern Josef Straßmayer, Zenndorf 14, umfaßt 17 ha Grund. Es werden vorwiegend Weizen und Roggen angebaut. Um das Getreide rationeller ernten zu können, wurde ein Mähdrescher angeschafft. Um sich den Mähdrescher leisten zu können, mußte der Bauer bei der Raiffeisenkassa in Kremsmünster einen Kredit aufnehmen. Der Zinssatz für den Kredit beträgt 11 Prozent.

Am Hof leben der Bauer und seine Frau Franziska, seine Tochter Barbara und ein alter Knecht. Die älteste Tochter des Bauern, Anna Straßmayer, studiert in Wien.

Nach dem oberösterreichischen Erbgesetz erbt der jüngste Sohn den Hof. Ist kein männlicher Erbe vorhanden, dann erbt diejenige Tochter, welche zuerst heiratet. Barbara Straßmayer ist mit dem Bauernsohn Michael Humenberger verlobt.

Michael Humenberger ist der jüngste Sohn des Großbauern Anton Humenberger. Die erste Frau des Großbauern, die Mutter von Michael Humenberger, ist vor drei Jahren gestorben. Der Großbauer Anton Humenberger lebt in zweiter Ehe mit einer ehemaligen Magd, die um zwanzig Jahre jünger ist als er.

Wenn Michael Humenberger mit seiner Verlobten Barbara Straßmayer auf dem Feuerwehrfest tanzt, dann sprechen die Leute von einem feschen Paar. Der Bauer Josef Straßmayer ist mit der Wahl seiner Tochter zufrieden. Mit seiner zweiten Tochter, der Studentin, versteht er sich schon lange nicht mehr. Wenn Anna zuhause ist, hält er ihr ständig vor, daß er ihr 2000 Schilling im Monat für nichts und wieder nichts bezahlen müsse. Die Mutter steckt Anna öfters eine Kleinigkeit zu, aber der Vater darf es nicht bemerken.

Ein schweres Unwetter zerstört einen Großteil der Weizenfelder des Bauern Josef Straßmayer. Der Bauer spricht in der Raiffeisenkassa vor und ersucht um eine Verlängerung des Kredites. Dem

Ansuchen wird nicht stattgegeben. Der Bauer ist gezwungen, einen Teil seiner Gründe zu verkaufen. Er stellt auf Schweine um.

Eines Tages erscheint ein Ingenieur beim Bauern. Er spricht von Versuchsbohrungen. Dem Bauern ist das egal, Hauptsache, das Loch wird nachher wieder zugeschüttet.

Um die Schweinezucht rentabel zu gestalten, müssen eine Menge Faktoren beachtet werden. Die aufgewendeten Futtermittel müssen in einem vernünftigen Verhältnis zum Kilopreis stehen. Da der Kilopreis ständig schwankt, muß der Bauer die Schweine im richtigen Moment abstoßen. Dem Bauern Josef Straßmayer gelingt es nicht, rationell zu wirtschaften. Seine Zuchtmethoden sind veraltet. Er muß Verluste hinnehmen. Der Bevollmächtigte einer Wiener Bank, die sich im Besitze einer Ölgesellschaft befindet, vergibt günstige Kredite an Bauern. Der Bauer Josef Straßmayer nimmt sich einen günstigen Kredit und richtet drei Zimmer als Fremdenzimmer ein.

Die junge Frau des Großbauern Anton Humenberger hat einen Buben auf die Welt gebracht. Das Erbrecht geht von Michael Humenberger, dem jüngsten Sohn aus erster Ehe, auf den Buben aus zweiter Ehe über. Michael Humenberger verläßt den Hof. Er löst seine Verlobung mit Barbara Straßmayer und heiratet eine Kellnerin aus Kremsmünster. Er nimmt eine Stelle als Landmaschinenvertreter an.

Der Bauer Josef Straßmayer erhält eine Einladung der Berghauptmannschaft Salzburg zu einer Versammlung. Die Versammlung findet im Gasthof des Hermann Voitl statt, der auch Bürgermeister der Ortschaft Zenndorf ist. Auf der Versammlung erklärt der Vertreter der Berghauptmannschaft, daß die Schürfrechte an die Rohöl-Aufsuchungs Ges. m. b. H. abgetreten wurden. Ein Herr von der Rohöl-Gesellschaft erklärt, daß man auf dem einen oder anderen Grund einen Bohrhammer aufstellen wolle. Er stellt den Bauern die Renovierung der Dorfstraße in Aussicht und ersucht sie um ihre Zustimmung zur Aufstellung der Bohrhammer. Der benützte Grund werde selbstverständlich nach den amtlichen Sätzen abgegolten (Pachtschilling). Die Bauern sind im großen und ganzen einverstanden. Bei der Versammlung wird auf Kosten des Wirtes Hermann Voitl gegessen und getrunken. Der Wirt seinerseits rechnet mit der Rohöl-Aufsuchungs Ges. m. b. H. ab. Zwei Wochen später wird auf dem Anwesen des Bauern Josef Straßmayer ein Bohrhammer aufgestellt. In einiger Entfernung seines Hofes wird eine Raffinerie gebaut, zur Umwandlung von Rohöl in Schweröl.

Das Fremdenverkehrsgeschäft bleibt aus. Die wenigen, die

kommen, reisen sofort wieder ab. Der Bauer Josef Straßmayer kann das nicht verstehen. Ihn stört der Bohrhammer nicht.

Seine Tochter Barbara Straßmayer geht nach Kremsmünster in eine Strickwarenfabrik arbeiten. In einer Diskothek lernt sie den Arbeiter Walter Boldt kennen. Boldt arbeitet bei der Rohöl-Aufsuchungs Ges. m. b. H. Es ist Liebe auf den ersten Blick. Drei Monate später merkt sie, daß sie schwanger ist.

Die Oberösterreichischen Kraftwerke AG (OKA) informiert den Bauern Josef Straßmayer über die beabsichtigte Errichtung einer Reihe von Hochspannungsmasten auf seinem Grund. Die Leitung sei notwendig geworden, da die Raffinerie der Rohöl-Gesellschaft immer mehr Strom brauche. Die OKA bietet eine Entschädigungssumme von 1000 Schilling für jeden aufgestellten Masten. Der Bauer Josef Straßmayer nimmt an, um die Zinsen seines zweiten Kredites zahlen zu können.

Ein Jungbauer aus der anschließenden Ortschaft Wartberg wehrt sich gegen die Aufstellung der Masten, die maschinelle Bewirtschaftung seiner Felder würde durch die vielen Masten immer schwieriger werden. Er stiftet Unruhe unter den Bauern. Schließlich einigt er sich mit der Rohöl-Gesellschaft auf privatem Wege und erhält eine Entschädigung von 5000 Schilling pro Masten.

Barbara Straßmayer heiratet den Ölarbeiter Walter Boldt, kurz bevor sie das Kind bekommt. Boldt, der nach dem Gehaltsschema IV, Nettobezug 4726,40 S, entlohnt wird, zieht zu seiner Frau auf den Bauernhof. Die beiden leben mit dem Kind in den ehemaligen Fremdenzimmern. Die wirtschaftliche Lage des Bauernhofes ist sehr schlecht. Um die Zinsen für den zweiten Kredit, der großzügigerweise verlängert wurde, bezahlen zu können, muß der Bauer einen Teil des ohnehin schmalen Viehbestandes verkaufen. Der Schwiegersohn und die Tochter müssen immer mehr zum Haushaltsgeld zuschießen. Zwischen dem Bauern und seinem Schwiegersohn, dem Ölarbeiter, gibt es ständig Reibereien. Barbara verteidigt ihren Mann gegen den Vater.

Ein Künstler, der sich vor einigen Jahren in Zenndorf angesiedelt hat, beschwert sich beim Amt der Oberösterreichischen Landesregierung, Abteilung Umweltschutz, über die enorme Lärmentwicklung der Raffinerie. Seinem Ansuchen wird stattgegeben. Die Rohöl-Aufsuchungs Ges. m. b. H. baut eine Anlage zur Senkung des Lärmpegels ein.

Josef Straßmayer, der Bauer, wird immer seltsamer. Am Bohrhammer hinter seinem Hof entsteht ein technischer Schaden. Öl ergießt sich über einen Teil des Feldes und den Garten. Der Bauer bekommt einen Anfall und verjagt seinen Schwiegersohn, seine

Tochter und das Kind vom Hof. Die Mutter schreibt an die zweite Tochter Anna, die in Wien studiert. Der Vater sei krank. Anna fährt nach Hause und will den Vater sehen. Von der Mutter erfährt sie, wie es um den Hof steht. Der Bauer sperrt sich ein.

Anna will ihrem Vater helfen. Sie kennt einen jungen Linzer Rechtsanwalt, der die Sache der Bauern gegen die Rohöl-Aufsuchungs Ges. m. b. H. vertreten will. Anfangs sind die Bauern dafür, aber als es darum geht, die Rechtsanwaltskosten zu übernehmen, steigen sie wieder aus.

Eine zweite Raffinerie wird gebaut. Im Wald entsteht ein riesiger Ölteich. Der Bauer Josef Straßmayer verkauft sein letztes Vieh. Der Kredit wird noch einmal verlängert, natürlich gegen steigende Zinsen. In einer lokalen Zeitung (Wochenendbeilage) erscheint ein Artikel über die Zerstörung der Schönheit bäuerlicher Landschaft durch die Ölfirma.

Annas Bekannter, der junge Linzer Rechtsanwalt, informiert den Journalisten einer Landeszeitung über die Lage des Bauern Josef Straßmayer. Der Journalist schreibt einen Artikel. Einige Zeitungen nehmen die Sache auf. Der Fall Straßmayer wird bekannt.

Anna, die Tochter des Bauern Josef Straßmayer, wendet sich an die Zentrale der Rohöl-Aufsuchtungs Ges. m. b. H., SHELL, Wien 3, Schwarzenbergplatz 1. Sie spricht persönlich mit dem Direktor Dr. Hannes Diwald. Der Direktor ist sehr freundlich zu ihr. Er erklärt, daß er über die Situation ihres Vaters bereits Bescheid wisse. Er verspricht Hilfe.

Dr. Hannes Diwald, der Direktor, hält Wort. Die Rohöl-Aufsuchungs Ges. m. b. H. übernimmt den Bauernhof und zahlt den ausstehenden Kredit. Die Familie behält das uneingeschränkte Wohnrecht am Hof. Dem Bauern Josef Straßmayer wird ein monatliches Gehalt ausgesetzt. Die Gesellschaft kauft einige Rinder und Schweine und stellt sie dem Bauern zur Verfügung. Was der Hof über den Eigenbedarf an Fleisch und Lebensmitteln produziert, geht an die Gesellschaft.

Mit dem Hof des Bauern Josef Straßmayer geht es aufwärts. Es wird ein Fernsehapparat angeschafft und ein neuer Resopaltisch für die Küche. Der Bauer verrichtet seine Arbeit, ohne sich um Gewinn oder Verlust kümmern zu müssen. Herr Direktor Diwald lädt Gäste und Journalisten ein, die den Hof besichtigen. Der alte Knecht wird bei der Arbeit fotografiert. Jeden Monatsersten bekommt der Bauer sein fixes Gehalt (Gehaltsschema IV, Nettobezug 4726,40 S). Über seinen Freund, den Herrn Direktor Diwald, läßt der Bauer Josef Straßmayer nichts kommen.

Drei Monate später quartieren sich in den Fremdenzimmern des

Bauernhofes einige Ingenieure ein. Direktor Diwald erklärt seinem Freund, dem Bauern Josef Straßmayer, daß dies nur vorübergehend sei. Der Bauer kann die Ingenieure und ihre selbstverständliche Art, sich in seinem Hof zu bewegen, nicht leiden. Den Ingenieuren geht der Bauer schlicht und einfach auf die Nerven.

In der Presse erscheinen Artikel über den arabischen Ölboykott. Der Journalist einer Landeszeitung weist auf die Notwendigkeit hin, die heimischen Ölvorkommen stärker auszubeuten. Zwischen dem Bauern und den Ingenieuren kommt es zum offenen Streit. Der Bauer Josef Straßmayer wird gekündigt. Die Kündigungsfrist für Arbeiter im Gehaltsschema IV beträgt drei Wochen.

Hans Weigel

Ein krasser Fall von Liebe

Seit Wochen weiß ich, daß ich für dieses Buch einen Beitrag über Österreich schreiben soll, seit Wochen denke ich darüber nach, was ich schreiben soll. Ich habe schon so viel über Österreich geschrieben, zum letztenmal vor einigen Wochen alle meine einschlägigen Thesen für eine politische Vierteljahrsschrift zusammengefaßt und dann gedacht: So! Aus! Ende! Nie wieder!

Nicht daß Österreich mir fad geworden wäre, nein, durchaus nicht – aber das, was ich über Österreich zu schreiben pflege, wurde mir nachgerade unerträglich fad.

Sollte ich – mit diesem Gedanken habe ich gespielt – sollte ich eine radikale Wendung vollziehen? Dies alles, was da meine Freunde (vor allem Jörg Mauthe) und ich gepriesen, gerühmt, entdeckt, halb und halb schaffen geholfen haben, diese Wiedergeburt Österreichs aus dem Geist des Feuilletons, war gut und schön und richtig und wichtig, hat aber den Zweck erreicht. Nun wollen wir Österreich nicht mehr in Frage stellen, nur um die Frage mit donnerndem Ja zu beantworten, wollen wir uns nicht mehr den Kopf darüber zu zerbrechen vorgeben, ob es eine österreichische Literatur gibt – es gibt sie eh längst, auch wenn wir nicht nach ihr fragen. Österreich ist da, Österreich braucht uns nicht mehr:

Nestroy, Raimund, Herzmanovsky-Orlando, Kubin sind bis zur Erschöpfung entdeckt, die Entdeckung Robert Musils scheint sogar derzeit um eine Nummer zu groß geraten zu sein, Kafka ist ein literarisches Volksnahrungsmittel, der wahre Schubert ist groß im Kommen, der wahre Mozart hat sich herumgesprochen, die tanzenden Grillparzer-Derwische beruhigen sich, Johann Strauß wurde von Claudio Abbado klassisch gesprochen, Gustav Mahler hat sogar das Dreimäderlhaus namens «Tod in Venedig» unbeschädigt überstanden ... unsere zornigen Fünfziger können von ihren gepflegten Aggressionen auskömmlich leben. Und der Nachwuchs wächst üppig nach.

Noch immer beginnt der Balkan in der Nähe des Wiener Schwarzenbergplatzes, aber es sind zögernde Anfänge, und von dort aus erstreckt er sich in westlicher und westnordwestlicher Richtung bis weit über Frankfurt, Köln und Düsseldorf hinaus.

Österreich hat zwei schreckliche Kriege so glorios und attraktiv verloren, daß es von siegreichen Briten, Amerikanern und demnächst auch Franzosen beneidet wird.

Seine Selbsterkenntnis ist robust geworden und auf keine Laudatio mehr angewiesen, vor allem auf keine von jener Art, die alle Mängel mit Heiligenscheinen krönt.

Ich habe also darüber nachzudenken aufgehört, wie ich mein ewiges Österreich-Feuilleton zum tausendundzweitenmal schreiben könnte, und auch darüber, ob ich es widerrufen soll. Man kann als Paulus zur Welt kommen, man kann auch aus einem Saulus ein Paulus, aber nicht aus einem Paulus ein Saulus werden.

Ich habe aufgehört, darüber nachzudenken, was ich über Österreich schreiben könnte, und habe angefangen, über Österreich nachzudenken. Das ist zweierlei. Ich bin vom Besonderen ins Allgemeine umgestiegen.

Was mich mit Österreich verbindet, ist ein starkes, echtes, konstantes Gefühl. Österreich ist mehr als eine Leibspeise meiner Seele, Österreich ist ein konstituierendes Element meiner Existenz. Wie geht das zu? Woran liegt es?

Goethe ist der größere Dichter, aber ich liebe Österreich. Die Gegend um Maloja ist mir die liebste auf Erden, aber ich liebe Österreich. Die Niederländer sind die besseren Maler, Verdi ist für mich der unerreichte Musikdramatiker, die Operetten von Franz Lehár sind ein großer Schaden, die Stephanskirche ist bestimmt nicht der schönste gotische Dom – der Stadtkern von Salzburg, Seefeld in Tirol, der Grundlsee, Südkärnten allein können es doch nicht sein. Was ist es?

Ich hab es von meinem sechsten bis zu meinem dreißigsten Lebensjahr nicht sehr schön gehabt in Wien, meine acht Gymnasialjahre, im unmittelbaren Anschluß an vier Weltkriegsjahre, waren ein Trauma, meine begabten Freunde und ich hatten es nicht etwa nur schwer, sondern sozusagen gar nicht, an eine ernsthafte literarische Karriere war nicht zu denken, es gab (damals!) sozusagen keine österreichische Literatur, das Regime der Ersten Republik war schon in jeder Hinsicht katastrophal, ehe es sich unter dem unseligen Dollfuß in den verhatschtesten Faschismus verwandelte. Alles war schrecklich, ratlos, kleinkariert, kleinbürgerlich, apokalyptisch, selbstmörderisch (ein bisserl Musik und ein bisserl Wiener Stadtverwaltung ausgenommen).

Und als ich am 19. März 1938 die Grenze überschritt, begann

ich, sehnsüchtig auf den Tag zu warten, an dem ich diese Grenze in umgekehrter Richtung wieder würde überschreiten dürfen. Ist das zu verstehen?

Nach Hause, nach Hause, heim zu Antel, Karas, Hubert und Ernst Marischka, in das Land Wilhelm Kienzls, Franz Karl Ginzkeys und des Staatsvertragsmalers Fuchs!

Ich hätte Amerikaner werden können, freier Bürger einer demokratischen Republik, mit allen Chancen, mit allen Rechten zur freien Entfaltung, freien Meinungsäußerung. Ich wollte nicht. Ich habe die Erteilung eines US-Einwanderungsvisums bewußt sabotiert.

Es kann doch nicht die Sprache gewesen sein! Oder doch?

Das sogenannte Blut war es gewiß nicht. Ich habe keinen hochentwickelten Familiensinn. Ich leugne nicht, daß es Erbanlagen gibt, aber ich halte sie für überwindbar. Wiener Blut – das ist für mich nur der Titel eines Walzers. Ich wurzle nur dort, wo ich mich zu wurzeln entschließe. Ich suche mir die Menschen, denen ich mich nahe fühle, aus; Freundinnen und Freunde waren mir immer schon wichtiger als Verwandte. Außerdem waren ja meine Verwandten nicht in Österreich. Sie waren teils durch Hitler zugrunde gegangen, teils Amerikaner geworden.

Zog es mich zu «den Wienern»? Nur an einige, wenige, die ich dort wußte, dachte ich in Freundschaft und Anteilnahme.

Was war es? Kann man Heimweh haben, auch wenn einem die Heimat so weh getan hat?

Ich wußte ja damals im Sommer 1945 nicht, daß es mir in Wien gutgehen wird, daß ich meinen Beruf mit Erfolg ausüben werde, daß ich in all den bevorstehenden Jahrzehnten nur zweimal bewußt antisemitischen Äußerungen ausgesetzt sein werde. Die positive Variante meiner Zukunft war recht unwahrscheinlich. Beginnt man als bisher erfolgloser Autor mit achtunddreißig Jahren eine Karriere?

Es war wohl Liebe. Aber nicht Liebe zum Josefsplatz, zur Perchtoldsdorfer Heide, zum Großen Musikvereinssaal. Es gibt, scheint es, eine Art von divinatorischer, vorwegnehmender Liebe, Liebe auf den nullten Blick. Liebe, die Entschlüsse auslöst, ehe sie der Objekte ansichtig wird.

Ich kam nach Wien in Sehnsucht nach denen, die ich nicht kannte, nach Heimito von Doderer, Kurt Absolon, Paul Flora, Ilse Aichinger, Jeannie Ebner, Hertha Kräftner, nach den neuen Schauspielern des Theaters in der Josefstadt und unserem Freund Alfred Ibach, nach der Frau Anna im Café Raimund, nach Friedrich Gulda, ehe er zu spinnen begann, nach dem frühen Art-Club und sei-

Wo es mir gutgeht . . .

... da ist mein Vaterland. Oder in Lateinisch bei Cicero: Patria est, ubicumque est bene. Oder in Griechisch bei Aristophanes: Patrìs gár 'esti pas' én àn prátte tis eu' – oder so ähnlich. Und in Österreichisch: Wo i mei Gerstel hob, bin i dahaam.

(Gerstel? Gerstel ist das liebe Gööd.)

nem «Strohkoffer», nach Kurt Moldovan und Jörg Mauthe, nach
Christine Busta und Andreas Okopenko, nach Ingeborg Bach-
mann, Herbert Eisenreich, Hermann Friedl, Friederike Mayrök-
ker, nach Gerhard Fritsch, Herbert Zand, Raimund Berger, Mar-
len Haushofer, Reinhard Federmann, Helga Pohl, nach Milo Dor
und Walter Toman und Wolfgang Kudrnofsky, nach all den unbekannten Kolleginnen und Kollegen, die mir seit dreißig Jahren ihre
Manuskripte zur Prüfung schicken ...

Im Mai 1945 hatte ich ganz deutlich das Gefühl: Sie warten auf
mich. Ich wußte nicht, wer. Aber ich wußte, daß sie warten.
Nicht weil sie mich brauchten. Weil wir einander brauchten. Zu
ihnen bin ich gekommen.

Und mein Lebenslauf meinte es gut mit mir. Er lieferte mir
nicht nur einen Freundes- und Kollegen-Kreis, er verwöhnte mich
zusätzlich durch eine reich aufgefächerte Palette von Zeitgenossen,
die ich um meiner Kolleginnen und Kollegen und um Österreichs
willen beschimpfen mußte: Minister, Stadträte, Bürgermeister,
Abgeordnete, Chefredakteure, Theaterdirektoren, Regisseure,
Verleger, Mitarbeiter der RAVAG (Radio-Verkehrs-A.-G.) ...
das hätten die Vereinigten Staaten von Amerika mir nie bieten
können.

Und mein Lebenslauf belohnte mich, drittens und vor allem,
mit der Gnade, daß ich kritisieren, polemisieren, angreifen und
mit scharfer Munition schießen konnte und durfte, als wäre ich
seit eh und je dabei gewesen, nicht erst sozusagen im Aufwind des
Kriegsendes herbeigeeilt.

Als ich Ende Juli 1945 die Grenze in umgekehrter Richtung
überschritt, dachte ich: Wir haben den Krieg gewonnen. Ich war
noch gar nicht lange zurückgekehrt, da ertappte ich mich dabei zu
sagen: Wir haben den Krieg verloren. Bis 1945 hatte ich «wir» gesagt und das Zürcher Schauspielhaus gemeint. Von 1946 an sagte
ich «wir» und meinte das Theater in der Josefstadt.

Ich habe den Terminus «Liebe» schon einmal zur Erklärung
herangezogen. Ich denke nach und finde: ich könnte auch sagen:
Sucht.

Österreich hat mich wider alle Überlegungen, die dagegen hätten sprechen müssen, wider alle realitätsbezogenen Argumente,
wider alle Vernunft nicht ausgelassen. Zeigen Sie einem Raucher
das Röntgenbild seiner Lunge, einem Alkoholiker das Röntgenbild seiner Leber, halten Sie einem Drogensüchtigen Krankenge-
schichten mit tödlichem Ausgang vor Augen, beschreiben Sie mir
Österreich: wir werden halb lustvoll, halb resignierend ausrufen
«Wem sagen Sie das?!» und uns nicht ändern. Nicht aus Masochis-

mus, aber noch weniger aus Genußsucht. Denn das Trinken ist nicht lustig, das Rauchen ist nicht lustig, die Liebe ist nicht lustig, Österreich ist nicht lustig, am ehesten könnte der Drogenmißbrauch gewisse angenehme Phasen vermitteln, aber diesbezüglich bin ich nur auf Berichte angewiesen. Ich glaube auch nicht, daß der Mond die Anziehungskraft der Erde freudig genießt – aber was soll er machen, es bleibt ihm ja nichts anderes übrig!

Es soll auch Wuppertaler geben, die Wuppertal lieben. Es gibt auch Frauen, die grausliche Männer, Männer, die grausliche Frauen lieben.

Liebe zwischen Mann und Frau, Nikotinabhängigkeit, Drogensucht, Alkoholismus und Vaterlandsliebe, woher kommen sie, was bezwecken sie, was besagen sie? Sie besagen, daß man mit der Vernunft und den Wissenschaften allein zwar weiter, aber nicht weit kommt. Die Tatsache meiner unstillbaren Sehnsucht und meiner Remigration wider alle bessere Einsicht, die vorwegnehmende Vision des «Sie warten auf mich», sie machen mich gläubig wie den Astrologen an die Gestirne, den Religiösen an seine Kirche. Ich glaube an große Geheimnisse jenseits der Vergesellschaftung der Produktionsmittel und der Bewußtseinsveränderung, jenseits des «Überbaus», jenseits aller ökonomischen Verhältnisse und sozialen Umstände.

Die mysteriöse Instanz, die ich nicht beim Namen nennen kann, denn «Schicksal» erscheint mir zu verwaschen, die mich unfreiwillig fortgehen und freiwillig zurückgehen und meinen Entschluß nie bereuen ließ, hat mich wie alle Süchtigen und Liebenden gesegnet und gepeinigt, erwählt und verdammt, bestraft und belohnt, geadelt und erniedrigt, indem sie mich als unheilbaren Österreicher zur Welt kommen ließ.

Gernot Wolfgruber

Die Mehrzahl

Ich habe Trauben gewaschen, blaue italienische Trauben, und ohne daß es mir gleich auffiel, ging es los in meinem Kopf: *Wo auf und auf die goldne Traube hängt und schwellend reift in Gottes Sonnenglanze, ein dunkler Wald voll Jagdlust krönt das Ganze,* lief es, ganz automatisch haspelte mein Kopf den Text ab, *und Gottes lauer Hauch schwebt drüber hin und wärmt und reift und macht die Pulse schlagen, wie nie ein Puls auf kalten Steppen schlägt:* Lob Österreichs aus dem «Ottokar» von Grillparzer. Ich konnte das noch immer, das saß fest. *Drum ist der Österreicher froh und frank, trägt seinen Fehl, trägt offen seine Freuden, beneidet nicht, läßt lieber sich beneiden. Und was er tut, ist frohen Muts getan.* Ich war ein wenig stolz auf mein gutes Gedächtnis, immerhin mußte es an die zwanzig Jahre her sein, seit ich das hatte auswendig lernen, seit die ganze Klasse das hatte auswendig lernen müssen. Vielleicht können das alle noch, dachte ich. Alle aus unserer Klasse. Alle aus unserer Schule. Und wer weiß, an wie vielen Schulen das auswendig gelernt werden mußte. Und ein jeder hat es noch, ohne zu merken, in seinem Kopf. Wie ging das weiter? *Und was er tut, ist also frohen Muts getan. 's ist möglich, daß in Sachsen ...* Plötzlich stockte ich: Und was er tut, ist frohen Muts getan? Wer: er? Der Österreicher. Ich. Und der Bundespräsident. Und der Polizeipräsident und der Eggenlehner, den ich erst, nachdem ich schon zwei Jahre in seiner Fabrik für ihn gearbeitet hatte, zu Gesicht bekam. *Wir.* Wann, dachte ich, habe ich denn, ohne daß das gleich ein Betrug war, *wir* sagen können? Der Stolz auf mein gutes Gedächtnis ist sofort weg gewesen. Ich habe mich geärgert, daß ich so etwas noch immer, und noch dazu ohne es zu wissen, mit mir herumschleppte. Und *frohen Muts!* Wenn ich nur daran dachte, wie das war: aufstehen zu einer Zeit, zu der ich immer meinte, es sei mitten in der Nacht, und in etwas hineinmüssen, wohin ich nicht wollte, in Werkstätten und Fabriken hineinmüssen, den Meistern, Vorarbeitern, Chefs unter die Augen, und Handgriffe erledigen müssen, die mich nichts angingen, die ich bestenfalls, wenn mir alles schon *selbstverständlich* geworden war, gar nicht mehr merkte. *Frohen Muts* hatte ich das getan. Deshalb hatte ich dabei auch immer den Abend herbeigesehnt und das Wochenende. Hatte ich mir etwas ganz anderes gewünscht. Hatten *wir* uns, meine Freunde, die genauso dran waren wie ich, immer versichert, daß wir jetzt bald darauf scheißen werden und auf und davon gehen. Ich hätte jetzt gerne gewußt, was ich mir damals gedacht hätte, wenn mir diese Verse in den Sinn gekommen wären. Und auch noch die weiteren: *'s ist möglich, daß in Sachsen und am Rhein es Leute gab, die mehr in Büchern lasen; allein was not tut und was Gott gefällt, der klare Blick, der offne richtge Sinn, da tritt der Österreicher hin vor jeden, denkt sich sein Teil und läßt die andern reden.* Hätte ich damals darüber noch lachen·können? Immerhin habe ich mir zu der Zeit meistens nur meinen Teil gedacht und die anderen, die zufällig auch Österreicher waren, haben geredet.

Zum Nationalfeiertag, der sich damals noch «Tag der Fahne» nannte, mußten wir diese Strophen auswendig lernen, irgendwer, ich war es nicht, mußte das dann auch in der Klasse vortragen, die mit Fähnchen, die wir im Handarbeitsunterricht hergestellt hatten, geschmückt war: Mein Fähnchen war damals nicht dabei gewesen, weil ich schlecht in diesem Fach war und mir die beiden roten Streifen ganz scheckig geworden waren, so wenig tadellos rot wie die Fahne, die an diesem Tag am Nachbarhaus hing. Diese Fahne hatten die Nachbarn derart hergestellt, daß sie aus einer nicht mehr zu gebrauchenden das Hakenkreuz samt weißem Feld herausgetrennt, das Tuch dann auseinandergeschnitten und einen Leintuchstreifen eingesetzt hatten. Wo das Hakenkreuz aufgenäht gewesen war, war der rote Fahnenstoff nicht ausgebleicht, und man konnte zu beiden Seiten des weißen Leintuchstreifens deutlich sehen, daß da einmal etwas dran gewesen war. Doch das hat niemanden gestört. Es gab mehrere solche Fahnen im Ort.

In diesem Jahr habe ich auch zum erstenmal gehört, daß *wir* nun *frei* seien. Die Besatzung zog aus dem Land ab. (Später habe ich oft gehört, daß wir sie noch immer da hätten, wenn der österreichische Außenminister nicht so trinkfest gewesen wäre: Nächtelang habe er bei den Verhandlungen mit den Russen mitgesoffen, sei einfach nicht unter den Tisch zu saufen gewesen, so daß die Russen schließlich eingesehen hätten, bei diesen Österreichern ist nichts zu machen, also sollen sie, von uns aus, frei sein.) Ich habe nicht gewußt, was ich von dieser Freiheit erwarten sollte. Außerdem war da schon wieder von einem *Wir* die Rede, das ich mir nicht vorstellen konnte. Wenn ich *Wir* sagte, dann meinte ich mich und meine jeweiligen Freunde, oder es meinte *unsere* Familie: die

Mutter, den Bruder, die Großmutter, den Großvater und mich. Manchmal rechnete ich auch die Verwandtschaft dazu. Oder unsere Schulklasse. Weiter ist das Wir nicht gegangen. Wahrscheinlich habe ich damals auch gar nicht erwartet, daß diese Freiheit *uns* betreffen könnte. Noch dazu, wo dieser Tag nicht schulfrei war, sondern nur der Unterricht zwecks Hymnensingen und Gedichtaufsagen in der Klasse ausfiel. Ich habe ja nicht einmal verstanden, was frei *sein* bedeutete. Ich kannte nur: frei *haben*. Wenn man nicht in die Schule mußte. Wenn die Erwachsenen nicht zur Arbeit mußten. (Wobei das Frei-Haben der Erwachsenen selten etwas Gutes bedeutete: Heute kann ich nicht, bekam man dann zu hören, wenn man einen Freund abholen wollte, mein Vater ist daheim, er hat frei.) Genau wußte ich nur, was es bedeutete, daß die Russen abzogen: kein sicheres Fischen im etwas außerhalb des Ortes liegenden Karpfenteich mehr. Natürlich war dort Fischen verboten, aber das kümmerte die Russen nicht, und sie hatten auch nichts dagegen, daß wir fischten, wenn sie fischten. (Kinderfreundlich seien sie ja gewesen, heißt es jetzt noch von den russischen Besatzern, kinderfreundlich schon.) Da saßen wir dann auf dem Teichdamm, jeweils einer von uns zwischen ihnen, den Soldaten, hatten die Angeln im Wasser, lächelten, ließen uns russisch anreden, verstanden nichts, lächelten, die meisten Soldaten konnten kein Wort Deutsch, und wir ließen uns zunicken und lächelten, und hinter uns lief oft der Millauer auf und ab, kochte vor Wut, warf Blicke, drohte, wenn man sich umdrehte, mit der Faust, aber er wagte nichts zu sagen. Seine ohnmächtige Wut, seine Angst vor den Soldaten hat mir sehr gefallen. Oft haben wir uns später noch versichert, daß uns das gefallen hat. Es war ein aufregendes Gefühl zu wissen, am liebsten würde uns der Millauer seine arbeitsharten, knotigen Hände um die Ohren schlagen; ersäufen würde er uns am liebsten, stellten wir uns vor; aber er kann nicht. Er traut sich nicht. Er kann sich nicht trauen. Eine großartige Entschädigung dafür, daß wir sonst vor ihm Reißaus nehmen mußten, war das. Und später ein ergiebiges Gesprächsthema: die Besatzung beschützte uns vor den eigenen Landsleuten. Warum unser Angeln den Millauer so aufregte, warum er sich überhaupt bemüßigt fühlte, den Aufpasser zu spielen, verstanden wir ja nicht. Schließlich gehörte der Teich nicht ihm, sondern zum Gut der «Herrschaft». Der Millauer hatte nur seine Wiesen daneben. Aber wenn er uns auf dem Teichdamm sah, kam er schon gerannt, schrie er schon von weitem, Rotzbuben, dreckige, Rotzbuben, so daß wir immer rechtzeitig die Flucht ergreifen konnten. Und in sicherer Entfernung schrien, schimpften wir zurück, obwohl wir wußten, daß das Ganze sinnlos war. Der Millauer war stocktaub. Oft haben wir uns gefragt, warum der Millauer das macht. Was hatte er denn davon, die Karpfen der Herrschaft zu behüten? Was brachte ihn denn gar so auf? Als sei unser Fischen nicht eine Art Abenteuer für uns, sondern ein Anschlag aufs Eigentum. Den er als Angriff aufs Eigentum überhaupt und damit auch als einen Angriff auf seine eigenen räudigen, sauren Wiesen mißverstehen konnte.

Die Karpfen, die wir fingen und die meistens so groß waren, daß die Soldaten sie ans Land ziehen mußten, haben wir ihnen auch überlassen. Wir hatten sowieso keine Verwendung dafür. Selten nur haben wir einen überm Lagerfeuer gebraten, der dann außen schwarz und innen noch roh war. Nach Hause durften wir sie ja nicht bringen, weil die Eltern nicht geglaubt hätten, wir hätten sie geschenkt bekommen. Und etwas anderes als Geschenktes oder Gefundenes durfte nicht nach Hause gebracht werden. In der Siedlung, in der ich wohnte, gab es nur anständige Leute. Die sich ihrer Anständigkeit dauernd gegenseitig versicherten, als könne sie eine Entschädigung dafür sein, daß sie sonst nichts hatten. Einer der Soldaten zog dann, ziemlich verschämt und hinter einem Busch, seine lange, blaue Unterhose aus, knotete die Unterhosenbeine zusammen und füllte die erbeuteten Fische in den so entstandenen Beutel, und dann marschierte der Trupp wieder ab. Dieser blaue Unterhosenfischbeutel ist vielen Menschen im Ort noch lange als der allereindeutigste Beweis für die barbarische Rückständigkeit der Russen und die eigene Überlegenheit erschienen, und wenn einer der wenigen Kommunisten, die es nach dem Abzug der Besatzung im Ort noch gab, auf das kapitalistische Ausbeutungssystem zu schimpfen angefangen und Wörter wie Sowjetunion und Kommunismus eingeflochten hat, dann ist ihm immer sofort der Fischtransport in dunkelblauen Trikotunterhosen entgegengehalten worden, und die ungeheuren Fortschritte der Sowjetunion in der Weltraumfahrt, die die Kommunisten dann immer gleich ins Treffen führten, wurden als eine Show abgetan, als eine Kulisse, hinter der die Menschen noch immer ihre Fische in Unterhosen nach Hause tragen müßten. Ich selber habe dieses Argument oft angeführt, lange noch, und erst als ich unter *Wir* schon etwas anderes verstand: meine Arbeitskollegen und mich, erst als der Hacker, der Betriebsratsobmann war und seit seiner Wahl so tat, als sei er vom Alten und nicht von uns gewählt worden, als er zusammen mit dem Waschka, einem Vorarbeiter, dasselbe Argument verwendete, um die Behauptung des Gutmann, der mich in der Fabrik «angelernt» hatte, zu widerlegen, die russischen Werktätigen könnten von ihren Kommunisten nicht ärger beschissen werden als hierzulande die Arbeiter von ihren Sozialdemokraten und Gewerkschaftskaisern, erst als ich merkte, daß ich plötzlich einer Meinung mit dem Farbverkehrer Hacker und dem Feldwebel Waschka hätte sein müssen, habe ich mir vorgenommen, künftig die russischen Unterhosen nicht mehr zu verwenden.

Damals habe ich mir meinen Teil fast immer nur gedacht, habe ich die anderen reden lassen: red nur, habe ich gedacht, red was du willst, irgendwann hörst du schon wieder auf; habe ich sie reden lassen müssen, weil es im Ort und der Umgebung nicht so viele Arbeitsmöglichkeiten gab, als daß ich mich dauernd um meinen Arbeitsplatz und aus den Fabriken hinaus hätte reden können. *Wir* haben uns damals nur unterhalten, aber die Vorarbeiter und Abteilungsleiter und Schichtleiter und Werkmeister und Kontrollore haben geredet, haben etwas zu reden gehabt. Die noch Höheren haben ja nur selten mit uns geredet. Die haben uns nur etwas kundgemacht. Damals etwa, als *wir* alle im Auslieferungslager versammelt waren und *sie* uns gegenüberstanden: die *anderen*; der Alte und die beiden Juniorchefs und der Betriebsleiter, einen Monat vor Weihnachten, und der Alte redete, über die Konjunktur, über die Auftragslage und die Rohstoffpreise und den Export und die Konkurrenz, redete des langen und breiten über Dinge, die uns nicht interessierten, weil wir sowieso darüber nichts mitzureden hatten und wir genau wußten, der redet nur so lange, um uns zu etwas zu überreden, zu einer sogenannten Einsicht zu überreden, schon wieder einmal sollten die Zeiten schlecht sein, dabei waren sie ohnedies noch nicht gut geworden, jeder von uns wußte, was kommen würde, die lange Rede des Alten war schon im vorhinein der beste Beweis, weil sie es sonst nie notwendig hatten, lange herumzureden, sondern einfach etwas anschafften, und in seiner Rede kam auch dauernd das Wort *Wir* vor: wir können den Schwierigkeiten nur gemeinsam begegnen, wir müssen uns eben etwas beschränken; obwohl man den Betrug ganz deutlich sehen konnte: Schließlich standen sie uns ja *gegenüber*, ein paar Meter Abstand war zwischen uns im Arbeitszeug voller Holzstaub und ihnen in den Anzügen und weißen Mänteln, auch der Hacker stand drüben, neben dem Alten, in einer ganz sauberen, fleckenlosen Blauen, die nur eine Tarnung war, eine Vorspiegelung falscher Tatsachen, weil er ja nicht mehr wie wir arbeitete, sondern freigestellter Betriebsrat war, er aber nichts für uns tat, als am Morgen Milch an die Abonnenten auszugeben. Sonst machte er der Betriebsleitung den Laufburschen, indem er uns, von einem zum anderen durch die Hallen gehend, die neuesten Erlässe zu Gehör brachte oder Kündigungsbriefe vom Personalbüro zu den Betroffenen transportierte. *Insgeheim* fragte ich mich, als ich ihn dort stehen sah, was macht er da drüben, warum steht er nicht bei uns, und warum nickt er dauernd zu den Sätzen des Alten? Wir alle dachten uns das vielleicht, aber wir dachten es nur, und keiner fragte, was der da drüben auf der anderen Seite zu suchen habe, keiner sagte laut, jetzt schau aber schnell, daß du zu uns herüberkommst und dieses Nicken einstellst. Wir dachten uns nur unseren Teil, wer redete, das war allein der Alte, und der Hacker nickte bekräftigend, und die Bemerkungen, die in den letzten Reihen gemacht wurden, weit weg vom Alten, der sie nicht mehr hören konnte, waren auch nur witzige Bemerkungen, als sei das alles wirklich nur zum Lachen, Galgenhumor die einzig mögliche Antwort auf die Sätze des Alten, in denen endlich der wahre Inhalt zutage kam: Die Prämie vor Weihnachten, die schon im Vorjahr auf die Hälfte reduziert worden war, war nun ganz gestrichen. Aber niemand fragte, warum der Alte das erst jetzt sage, warum er das nicht schon im Sommer gesagt habe, als es auch eine Versammlung gegeben hatte, bei der uns die Notwendigkeit mitgeteilt worden war, daß alle Überstunden machten, weil sonst die Aufträge nicht bewältigt werden könnten, und die Folgeaufträge dann in Frage ständen, an die Konkurrenz gegeben werden würden. Jeden Tag haben wir daraufhin zwei Stunden länger gearbeitet, und auch am Samstag sind wir in die Fabrik, haben wir uns am Freitagabend die Arbeitswoche nicht ganz gründlich aus dem Kopf gesoffen, sondern sind zeitig heimgegangen, schlafengegangen, damit wir aus den Betten kamen und um vier in der Früh startbereit an unseren Plätzen stehen konnten. Es ist ja nicht umsonst, hatte es geheißen, und jeder von uns hatte an die Prämie vor Weihnachten gedacht, mit der uns schon die letzten beiden Jahre das Überstundenherunterklopfen schmackhaft gemacht worden war, und der Hacker hatte jedem versichert, er werde schon schauen, daß wir nicht zu kurz kämen. Fest eingeplant ist die Prämie gewesen, Weihnachtsgeschenke, Ratenzahlungen, Bausparverträge, Kreditrückzahlungen, und dann stellte sich der Alte einfach vor uns hin, stellte den Hacker neben sich und sagte: Wir können heuer nicht. Und dieses *Wir* war dann ganz plötzlich ein anderes, bezog uns nicht mehr mit ein, sondern bezeichnete nur mehr den Alten und die beiden Junioren und den Teilhaber, der zwar im Firmennamen stand, den aber noch niemand von uns gesehen hatte. Und wir dachten an unseren Teil, und als die Versammlung vorbei war, als sie schon vorbei war, redeten wir auch, sagten wir, solche Hunde, so eine dreckige Bagage, und nächstes Jahr können sie uns, und der Hacker? na der, wozu ist denn der überhaupt da, na blöd müßten wir sein, so ein Arschloch noch einmal zu wählen. Aber da nütze das Reden nichts mehr. Immer ist nur im nachhinein geredet worden, wenn niemand von denen es hören, wenn unsere Wut nur mehr uns selber weh tun konnte.

Aber die Weihnachtsfeier würde es trotz der schwierigen Lage auch heuer wieder geben, hatte der Alte versprochen. Selbstverständlich. Die Unternehmerweihnachtsfeierrede ließ er sich nicht nehmen. Und wir hörten sie uns an, weil wir vier Kupons dafür bekamen, die in zwei Flaschen Bier, ein Viertel Wein und ein Paar Würstel umgetauscht werden konnten. Diese Weihnachtsfeier fand immer im Saal des Wirtshauses Simlik statt, das gleich neben der Fabrik war, und beim letztenmal, wo ich sie miterlebte (bei der Feier wußte ich noch nicht, daß es vorläufig mein letztes Arbeiterjahr sein würde), saß ich am selben Tisch wie der Kattinger, und ich wunderte mich, daß er gekommen war, daß überhaupt alle gekommen waren, die eine Woche davor die Kündigung bekommen hatten, und ich habe erwartet, die ganze Zeit habe ich darauf gewartet, daß irgend etwas passiert, daß einer von denen irgend etwas macht, daß einer dem Alten ins Wort fällt, der dauernd *Wir* sagte und von der großen Familie redete, die wir doch seien, von der Gemeinschaft, aber keiner ließ den Christbaum in Flammen aufgehen, sie ließen den Alten reden, von früheren Zeiten, als er noch selber Betriebsausflüge organisiert habe, unter den Leuten auf der offenen Plattform eines Lastautos mitgefahren sei, was sich die meisten, die es nicht miterlebt hatten, bei ihm sowieso nicht vorstellen konnten, alle ließen ihn reden und wünschten sich nur, daß er bald aufhörte, und der Kattinger trank wie die anderen Gekündigten stumm sein Bier, und erst als der Alte längst weg war, als er durch den Hacker die Weihnachtswünsche der Belegschaft entgegengenommen und zweimal an seinem Weinglas genippt und dann mit seinen Unteroffizieren den Saal verlassen hatte, als das übliche Besäufnis richtig losging, erst da gingen Gläser zu Bruch, fing der Kattinger zu randalieren an, erst als er schon betrunken war, und alle über ihn nur mehr lachen konnten, ihn einfach auslachten, und den Hacker auslachten, der ihn beruhigen wollte. Der Kattinger griff sich alle erreichbaren Gläser und Teller und zerschlug sie, eine Hetz muß sein, schrie er, einmal muß eine Hetz sein, war eh nie eine Hetz, und der Wirt kam gerannt und wollte ihn beruhigen und wollte ihn abführen, als er sich nicht beruhigen ließ, sondern nur schrie, er solle sich über die Häuser schmeißen, das gehe ihn nämlich gar nichts an, das ist die Firmenweihnachtsfeier, schrie er, und da bleibe er, noch gehöre er nämlich zur Firma, und der Alte müsse schon selber kommen, um ihn hinauszuschmeißen, um ihn noch einmal hinauszuschmeißen. Er holte die Gendarmerie, wenn er nicht vernünftig wird, drohte der Wirt, aber der Kattinger lachte nur. Ich hatte schon zu viel getrunken und mußte schnell hinaus aufs Klo, und als ich zurückkam, hatte ich den Kattinger schon vergessen, der saß nicht mehr an meinem Tisch und schrie sich auch keine Aufmerksamkeit mehr zusammen, und er ging mir auch nicht ab, weil er nicht mehr schrie, auch später, in der Fabrik ist er mir nicht abgegangen, weil ja dauernd einer ging, und ich habe weiter Kirsch-Rum getrunken, und es ist sehr lustig gewesen, Gelächter und Geschrei, und als ich später durch den Saal taumelte, habe ich den Kattinger wieder gesehen, ganz allein, am Ende eines langen Tisches saß er, und plötzlich habe ich gemeint, ihn trösten zu können, so trostlos kam er mir vor, wie er da allein saß und vor sich hinstarrte, als gehöre er wirklich schon nicht mehr zu *uns*. Der Alte, so ein Hund, süß reden, das kann er, aber sonst, sagte ich, und das ist doch eine Sauerei, vor Weihnachten kündigen, aber mach dir nichts draus, und der Kattinger sah mich an, schleich dich, sagte er, mit einem ganz drohenden Ton, schleichts euch, und ich stand da, wahrscheinlich mit offenem Mund, so etwas hatte ich nicht erwartet, alle kommen sie jetzt daher, sagte der Kattinger, aber ihr gehts mich alle an, wurde er plötzlich laut, einem jedem tu ich plötzlich leid, aber ich scheiß euch drauf, schrie er, ich bin doch froh, daß ich von euch weg komm. Er starrte mich an, und ich habe mich schnell weggedreht, habe noch gehört, wie er hinter mir sagte, lauter Arschlöcher, eine Arschlochbude ist das, und ich habe mich wieder unter die anderen gesetzt, habe noch ein paarmal zum Kattinger hinübergeschaut und habe mir gesagt, das hast du wieder notwendig gehabt, das hat man davon, aber ich habe trotzdem ganz kurz ein schlechtes Gewissen gehabt. Es nützte ihm ja wirklich nichts, wenn ich ihn bedauerte. Wenn jeder *einzelne* von uns ihn bedauerte, nützte ihm das gar nichts. Der Wirbel und das Gelächter am Tisch und in der Umgebung hat mich aber sowieso ganz schnell wieder auf andere Gedanken gebracht: da war ja nur von etwas ganz anderem die Rede.

Wenn ich heute hin und wieder meine früheren Arbeitskollegen treffe und bei ihnen sitze, dann muß ich, wenn ich wie früher *wir* sagen will, von der Vergangenheit reden. *Damals*, muß ich sagen, und: Könnts euch erinnern? Anders können sie mir nicht glauben, wenn ich *Wir* sage. Geh du, sagen sie und lachen, du bist doch jetzt draußen.

Ja.

Ich habe auch jetzt Kollegen. Zumindest nenne ich sie so, weil ich nicht weiß, wie ich sonst sagen sollte. Jeder an seinem Schreib-tisch, irgendwo, weit weg, weit weg von meinem. Und ohne daß ich *Wir* sagen könnte. Vielleicht liegt es daran, daß sie sich von denen, unter denen ich *Wir* gesagt habe, und von denen ich zu re-den versuche, auch nur ihren Teil denken. Und von etwas ande-rem reden.

Helmut Zenker

Rot-weiß-rot

Das Flugzeug (eine DC-9) ist gerade in Schwechat gelandet. Es
rollt aus. Eine Stewardeß (oder ein Tonband) verabschiedet sich
über Lautsprecher akzentfrei in drei Sprachen, dann spielen die
Deutschmeister auf: ein Walzer oder Marsch oder wasweißich.
Meine Sitznachbarn, zwei Autohändler in einer ausdauernden Pat-
chouliwolke, haben während des gesamten Fluges die neuerliche
Anhebung der Kreditzinsen abgehandelt.

Im Flughafengebäude, beim zuständigen Förderband, muß ich
nicht wie die meisten auf Gepäck warten, weil ich nur eine kleine
Tasche als Handgepäck habe, die den Zollbeamten nicht interessiert. Der Beamte hat ein kleines rot-weiß-rotes Abzeichen zum
morgigen österreichischen Nationalfeiertag angesteckt. Kurz vor
22 Uhr. Das Flugzeug hat fast eine Stunde Verspätung gehabt.

Im Autobus, der mich nach Wien bringen soll, muß ich trotzdem warten, weil eventuell auch einer der anderen Passagiere, die
noch auf ihr Gepäck lauern, mit dem Bus fahren möchte. Der
Chauffeur, in einer offenen Uniformjacke, ist direkt überrascht,
als ich einsteige.

Sind Sie von hier?, will er wissen.

Ich sage: ja.

Darauf interessiert er sich zunächst nicht weiter für mich. Vielleicht handelt er nebenbei mit Stadtplänen. Er hat das Radio einge-
schaltet: Musik zum Träumen. Wahrscheinlich beobachtet er mich
im breiten Rückspiegel. Es ist so finster, daß ich es von meinem
Sitz in der siebenten Reihe nicht sicher beurteilen kann.

Draußen läuft einer im Trainingsanzug vorbei, mit einer Toni-
Sailer-Mütze auf dem Kopf. Möglicherweise das letzte Training
für den Fitneß-Lauf zum Nationalfeiertag. Der Chauffeur steht
plötzlich neben mir. Er hat sich angeschlichen.

Sie sind mit der Maschine aus Paris gekommen?

Ja, sage ich.

Sie sehen nicht so aus, als wären Sie eben aus Paris gekommen,
findet er.

Ich habe die Flugreise gewonnen, sage ich.

Sie sehen nicht so aus, als ob Sie sich an Preisausschreiben beteiligen würden.

Ich gebe keine Antwort, die Vermutung des Chauffeurs ist allerdings richtig. Den Flug hat meine Mutter gewonnen, die aber dann doch lieber in ihrer Parterrewohnung geblieben ist. Sie hat drei Jahrzehnte lang kein Preisausschreiben ausgelassen. Der Chauffeur zeigt auf mein Gesicht. Er hat meine (etwa eine Woche alten) Bartstoppeln entdeckt.

Die Elektrizitätswerke streiken wohl, sagt er. Na ja. Da drüben streikt ja immer wer.

Er mustert mich wie ein Vernehmungsbeamter.

Ihren Mantel haben Sie, mir scheint, in Paris vergessen?

Ja, antworte ich, weil er wieder recht hat.

Im Puff, nicht wahr?

Ich war in keinem Puff.

Wo haben Sie denn geschlafen?

Im Hotel Bur ...

Sehen Sie, unterbricht er mich. Da drüben ist doch jedes Hotel ein Puff. Also, spannen Sie mich nicht auf die Folter. Wie waren sie?

Wer?

Die Französinnen. Die französischen Frauen.

Die haben gestreikt.

Sehr witzig, sagt er und zieht sich zum Lenkrad zurück. Sagen Sie es doch gleich, wenn Sie kein Gespräch wollen.

Er schaltet das Radio ab, nach ein paar Sekunden wieder an. Nach fast einer halben Stunde fährt er endlich los. Es ist keiner mehr eingestiegen. Die Fluggäste haben ihre Autos im Parkhaus oder fahren lieber mit dem Taxi.

Alles aussteigen, sagt der Chauffeur beim Autobusbahnhof und wartet ab, ob ich seinen Witz bemerke.

Schönes Wochenende, sage ich, bevor ich aussteige. Er schließt hinter mir die pneumatische Tür, die sich im nächsten Moment mit einem Zischen noch einmal öffnet.

Du blöder Hund! schreit er mir nach. Wahrscheinlich hat er mittlerweile bemerkt, daß heute erst Dienstag ist. Bei der Straßenbahnhaltestelle stöbert einer, der mindestens drei lange Stoffmäntel übereinander anhat, in den beiden Abfallkörben. Die Straßenbahn ist mit zwei rot-weiß-roten Fähnchen auf dem Dach über dem Platz für den Fahrer schon für morgen geschmückt. Der Schaffner redet mich bei der letzten Haltestelle (ich bin sitzen geblieben, bis die Straßenbahn endgültig hält) wie einen Jugoslawen an: Du jetzt aussteigen, da Endstation.

Die Würstelbude hat nicht geöffnet. Die Likörstube um die Ecke hat bis zwei Uhr früh offen, ist aber trotzdem fast leer. Der Wirt redet am Stammtisch mit zwei Männern in falschen Lederjakken über Wein. Da kann ich als Biertrinker nicht mitreden. Der Wirt hat von der Eingangstür bis zur Tür in die Küche an einem Spagat Papierfahnen aufgereiht. Er hat die Fahnen mit seiner Frau selbst bemalt. Die österreichische Fahne ist nicht dabei.

Oje, sagt er, als ich ihn darauf aufmerksam mache.

Die Kellnerin bringt mir ein kaltes Schweinernes und setzt sich für ein paar Minuten an meinen Tisch. Sie sagt kein Wort. Nachher sitzt sie am Stammtisch. Einer der beiden mit den Lederjacken legt bald die linke Hand auf ihre Oberschenkel. Sie unternimmt nichts dagegen. Soviel ich weiß, hat sie zwei uneheliche Kinder. Die Fürsorge hat ihr keines weggenommen.

Das zweite Bier stellt mir der Wirt auf den einzigen Bierdeckel auf dem Tisch. Er hat einen kleinen Verband mit zwei Leukoplaststreifen über die Nase geklebt. An einer Stelle ist ein bißchen Blut durchgekommen, aber längst vertrocknet.

Sind da Einbruchswerkzeuge drinnen?, fragt er und zeigt auf meine Tasche. Er hat den gleichen Tonfall wie vorher der Chauffeur.

Nein, sage ich. Das ist nur Unterwäsche und ein zweiter Pullover. Ich war in Paris.

Was haben Sie da gemacht?, fragt er weiter und nimmt Platz. Ist denn hier jeder im Nebenberuf Polizist? Ich schaffe es, ihn nach zehn Minuten loszuwerden, nachdem ich ihm ein paar halbwahre Anekdoten über meine Flugreise erzählt habe. Auf die Frage, wo *man* in Paris *als Mann* hingehen kann, habe ich ihm die Karte des Hotels übergeben, in dem ich die wenigen Tage gewohnt habe.

Das Kruzifix in der Ecke hat einem Fernsehapparat weichen müssen. Darunter schläft einer auf der Bank. Sein Bierglas ist noch fast voll. Der Wirt fängt einen Satz an: Wir Deutschen ... Der eine der beiden Männer hat nach wie vor seine Hand auf den Beinen der Kellnerin.

Manchmal ist ein Mann im Bett besser als ein heißer Ziegelstein, sagt sie später und schiebt mir das dritte Bier her. Im Augenweiß hat sie zahlreiche aufgeplatzte, rote Äderchen. Ihr Beitrag zum Nationalfeiertag?

Die Autoren

Friedrich Achleitner, geboren 1930 in Schalchen/Oberösterreich, studierte Architektur an der Akademie der bildenden Künste in Wien. Lebt heute in Wien als Professor für «Geschichte der Baukonstruktion» an der Akademie der bildenden Künste und Lehrbeauftragter für «Baukunst» sowie «Architektur und Umwelt» an der Hochschule für angewandte Kunst. Buchveröffentlichungen: «hosn rosn baa» (mit H. C. Artmann und Gerhard Rühm), 1959; «prosa, konstellationen, montagen, dialektgedichte, studien», 1970; «quadratroman», 1973; «Die WARE Landschaft» (RV), 1977.

Ilse Aichinger, geboren 1921 in Wien. Während des Krieges Studienverbot. 1945 einige Semester Medizinstudium in Wien, Beginn der schriftstellerischen Arbeit. Tätigkeit als Lektorin beim S. Fischer Verlag in Wien und Frankfurt/M. 1953 Heirat mit Günter Eich. Lebt als freie Schriftstellerin in Großgmain bei Salzburg. Buchveröffentlichungen: «Die größere Hoffnung», 1948; «Rede unter dem Galgen», 1951; «Der Gefesselte», 1953; «Zu keiner Stunde», 1957; «Besuch im Pfarrhaus», 1961; «Wo ich wohne», 1963; «Eliza, Eliza», 1965; «Auckland», 1969; «Nachrichten vom Tage», 1970; «Dialoge, Erzählungen, Gedichte», 1971; «Schlechte Wörter», 1975.

Gerhard Amanshauser, geboren 1928 in Salzburg. Besuch der Technischen Hochschule in Graz. Studium der Germanistik und Anglistik in Wien und Marburg an der Lahn. Lebt als freier Schriftsteller in Salzburg. Buchveröffentlichungen: «Aus dem Leben der Quaden» (RV), 1968; «Der Deserteur» (RV), 1970; «Satz und Gegenstand» (RV), 1972; «Ärgernisse eines Zauberers» (RV); 1973; «R. Hradil» (RV), 1975; «Schloß mit späten Gästen» (RV), 1975; «Grenzen. Aufzeichnungen», 1977.

H. C. Artmann, geboren 1921 in Wien. Lebt zur Zeit in Salzburg. Erstes literarisches Hervortreten im Autorenkreis um die Wiener Zeitschrift «Neue Wege». Mitbegründer der «Wiener Gruppe». Schreibt Lyrik, Prosa und Theaterstücke, Übersetzungen aus vielen Sprachen. Buchveröffentlichungen: «med ana schwoazzn dintn», 1958; «Grünverschlossene Botschaft – 90 Träume» (RV), 1967; «Die Anfangsbuchstaben der Flagge» (RV), 1969; «ein lilienweißer brief aus lincolnshire», 1969; «die fahrt zur insel nantucket», 1969; «Das im Walde verlorene Totem» (RV), 1970; «How much schatzi», 1971; «Detective Magazine der 13» (Hrsg.) (RV), 1971; «Der aeronautische Sindtbart» (RV), 1972; «The Best of H. C. Artmann», 1972; «Unter der Bedeckung eines Hutes» (RV), 1974; «Aus meiner Botanisiertrommel. Balladen und Naturgedichte» (RV), 1975; «Die Jagd nach Dr. U. oder Ein einsamer Spiegel, in dem sich der Tag reflektiert», 1977.

Rudolf Bayr, Dr. phil., geboren 1919 in Linz. Studium der Philosophie an der Universität Wien. Seit 1975 ORF-Intendant von Studio Salzburg. Lebt in Wien und in Salzburg. Buchveröffentlichungen: «Antigone» (RV), 1961; «Elektra» (RV), 1963; «König Ödipus» und «Ödipus auf Kolonos» (RV), 1965 (Übersetzungen der sophokleischen Dramen); «Der Zehrpfennig» (RV), 1961; «Der Wolkenfisch» (RV), 1964; «Delphischer Apollon» (RV), 1966; «Menschenliebe» (RV), 1969; «Momente und Reflexe» (RV), 1971; «Anfangsschwierigkeiten einer Kur» (RV), 1973; «Die Schattenuhr» (RV), 1976.

Alois Brandstetter, Dr. phil., geboren 1938 in Pichl (Oberösterreich). Studium der Germanistik und Geschichte an der Universität Wien. Von 1972 bis 1974 Professor für Altgermanistik an der Universität des Saarlandes in Saarbrücken, ab Sommer 1974 an der Universität Klagenfurt. Buchveröffentlichungen: «Gewissenserforschung», 1969; «Über Untermieter», 1970; «Überwindung der Blitzangst» (RV), 1971; «Ausfälle» (RV), 1972; «Daheim ist daheim» (Hg.) (RV), 1973; «Zu Lasten der Briefträger» (RV), 1974; «Der Leumund des Löwen» (RV), 1976; «Die Abtei» (RV), 1977.

Helmut Eisendle, Dr. phil., geboren 1939 in Graz. Studium der Psychologie und Zoologie, seit 1972 freier Schriftsteller. 1973 bis 1974 Aufenthalt in Barcelona, ab 1974 in Berlin, seit 1977 in München. Buchveröffentlichungen: «Walder oder Die stilisierte Entwicklung einer Neurose», 1972; «Handbuch zum ordentlichen Leben», 1973; «Jenseits der Vernunft oder Gespräche über den menschlichen Verstand» (RV), 1976; «Exil oder Der braune Salon» (RV), 1977.

Gustav Ernst, geboren 1944 in Wien. Studium der Germanistik, Geschichte und Philosophie. Mitherausgeber der Literaturzeitschrift «Wespennest». Buchveröffentlichungen: «Plünderung», 1970; «Am Kehlkopf», 1974.

Gunter Falk, Dr. phil., geboren 1942 in Graz. Studium der Philosophie, Soziologie, Zoologie und Mathematik. Lebt heute als Assistent am Institut für Soziologie der Universität Graz. Buchveröffentlichungen: «Der Pfau ist ein stolzes Tier», 1965; «Die Würfel in manchen Sätzen», 1977.

Erich Fried, geboren 1921 in Wien. Lebt seit 1938 in London und ist seit 1946 freier Schriftsteller. Buchveröffentlichungen: «Gedichte», 1958; «Ein

Soldat und ein Mädchen», 1960; «Warngedichte», 1964; «und Vietnam und», 1966; «Zeitfragen», 1968; «Unter Nebenfeinden», 1970; «Die Freiheit, den Mund aufzutun», 1972; «Die bunten Getüme», 1977.

Barbara Frischmuth, geboren 1941 in Altaussee (Steiermark). Studierte Ungarisch und Türkisch am Dolmetscher-Institut in Graz, anschließend Orientalistik an der Universität Wien. Lebt als freie Schriftstellerin in Wien. Buchveröffentlichungen: «Die Klosterschule», 1968; «Amoralische Kinderklapper», 1969; «Geschichten für Stanek», 1969; «Tage und Jahre» (RV), 1971; «IDA – UND OB», 1972; «Die Prinzessin in der Zwirnspule», 1972; «Rückkehr zum vorläufigen Ausgangspunkt» (RV), 1973; «Das Verschwinden des Schattens in der Sonne», 1973; «Haschen nach Wind» (RV), 1974; «Die Mystifikationen der Sophie Silber» (RV), 1976; «Amy oder Die Metamorphose» (RV), 1978.

Gertrud Fussenegger, Dr. phil., geboren 1912 in Pilsen. Studium der Geschichte, Kunstgeschichte und Reinen Philosphie. Lebt seit 1961 in Leonding bei Linz. Buchveröffentlichungen: «Die Brüder von Lasawa», 1948; «Das Haus der dunklen Krüge», 1951; «Das verschüttete Antlitz», 1957; «Zeit des Raben, Zeit der Taube», 1960; «Die Pulvermühle», 1968; «Widerstand gegen Wetterhähne», 1975; «Eines langen Stromes Reise», 1976; «Der große Obelisk» (RV), 1977.

Reinhard P. Gruber, geboren 1947 in Fohnsdorf/Steiermark. Studium der Theologie, Philosophie und Politologie an der Universität Wien. Buchveröffentlichung: «Aus dem Leben Hödlmosers. Ein steirischer Roman mit Regie» (RV), 1973.

Bernhard Hüttenegger, geboren 1948 in Rottenmann/Steiermark. Studium der Geschichte und Germanistik. Lebt in Graz. Buchveröffentlichungen: «Beobachtungen eines Blindläufers», 1975; «Die sibirische Freundlichkeit» (RV), 1977.

Franz Innerhofer, geboren 1944 in Krimml/Salzburg. Arbeitete als Schmiedelehrling, Fabrikarbeiter und Hausmeister und studierte einige Semester Germanistik und Anglistik. Lebt heute als freier Schriftsteller in Arni bei Zürich. Buchveröffentlichungen: «Schöne Tage» (RV), 1974; «Schattseite» (RV), 1975; «Die großen Wörter» (RV), 1977.

Gert Jonke, geboren 1946 in Klagenfurt. Studium an der Akademie für Film und Fernsehen in Wien. Lebt in Klagenfurt. Buchveröffentlichungen: «Geometrischer Heimatroman», 1969; «Glashausbesichtigung», 1970; «Beginn einer Verzweiflung» (RV), 1970; «Die Vermehrung der Leuchttürme», 1971; «Die Schule der Geläufigkeit», 1977.

Alfred Kolleritsch, Dr. phil., geboren 1931 in Brunnsee/Steiermark. Studium der Philosophie, Germanistik und Geschichte. Lebt als Gymnasialprofessor und Lehrbeauftragter für Philosophie in Graz. Herausgeber der «manuskripte». Buchveröffentlichungen: «Die Pfirsichtöter» (RV), 1972; «Die grüne Seite» (RV), 1974.

Otto Kreiner, geboren 1931 in Wien. Verschiedene Berufe. Lebt und arbeitet in Wien. Buchveröffentlichung: «Fräulein, soll ich in Ihrem Schoße liegen?» (RV), 1976.

Friederike Mayröcker, geboren 1924 in Wien. Seit 1946 Schuldienst an öffentlichen Schulen, seit 1969 vorübergehend beurlaubt. Lebt in Wien. Buchveröffentlichungen: «Larifari», 1956; «Tod durch Musen», 1966; «Sägespäne für mein Herzbluten», 1967; «Minimonsters Traumlexikon», 1968; «Fantom Fan», 1971; «Fünf Mann Menschen», Hörspiele, 1971; «Arie auf tönernen Füszen. Metaphysisches Theater», 1972; «Blaue Erleuchtungen. Erste Gedichte», 1973; «je ein umwölkter gipfel», Erzählung, 1973; «in langsamen Blitzen», 1974; «Augen wie schaljapin bevor er starb», 1974; «Das Licht in der Landschaft», 1975; «Fast ein Frühling des Markus M.», 1976; «rot ist unten», 1977.

Christine Nöstlinger, geboren 1936 in Wien. Studium an der Kunstakademie Wien. Sie veröffentlichte Kinder- und Jugendbücher und wurde 1973 mit dem Deutschen Jugendbuchpreis ausgezeichnet.

Ernst Nowak, Dr. phil., geboren 1944 in Wien. Studium an der Akademie für Angewandte Kunst (Bühnen- und Kostümgestaltung) und an der Universität (Germanistik und Geschichte) in Wien. Buchveröffentlichungen: «Kopflicht» (RV), 1974; «Die Unterkunft» (RV), 1975; «Entzifferung der Bilderschrift», 1977.

Andreas Okopenko, geboren 1930 in Kaschau (ČSSR). Studium der Chemie an der Universität Wien. Betriebsabrechner einer Wiener Firma. Lebt seit 1968 als freier Schriftsteller in Wien. Buchveröffentlichungen: «Grüner November», 1957; «Seltsame Tage», 1963; «Die Belege des Michael Cetus» (RV), 1967; «Warum sind die Latrinen so traurig?» (RV), 1969; «Lexikon einer sentimentalen Reise zum Exporteurtreffen in Druden» (RV), 1970; «Orte wechselnden Unbehagens» (RV), 1971; «Der Akazienfresser» (RV), 1973; «Warnung vor Ypsilon» (RV), 1974; «Meteoriten» (RV), 1976.

Wilhelm Pevny, geboren 1944 in Wallersdorf/Niederbayern, mit zwei Jahren Übersiedlung nach Wien. Studium der Theaterwissenschaften. Zahlreiche Stücke für Bühne und Fernsehen.

Peter Rosei, Dr. jur., geboren 1946 in Wien. Studium der Rechtswissenschaften an der Universität Wien. Lebt als freier Schriftsteller in Salzburg. Buchveröffentlichungen: «Landstriche» (RV), 1972; «Bei schwebendem Verfahren» (RV), 1973; «Wege» (RV), 1974; «Entwurf für eine Welt ohne Menschen/Entwurf zu einer Reise ohne Ziel» (RV), 1975; «Der Fluß der Gedanken durch den Kopf» (RV), 1976; «Wer war Edgar Allan?» (RV), 1977.

Gerhard Rühm, geboren 1930 in Wien. Studierte an der Staatsakademie für Musik und darstellende Kunst in Wien Klavier und Komposition. Seit 1972 lehrt er an der Hochschule für bildende Künste in Hamburg. Lebt in Köln. Buchveröffentlichungen: «hosn rosn baa» (mit Friedrich Achleitner und H. C. Artmann), 1959; «konstellationen», 1961; «söbsdmeadagraunz», 1965; «daheim – 10 text- und 10 fotomontagen», 1967; «die wiener gruppe/achleitner, artmann, bayer, rühm, wiener», 1967; «rhythmus r», 1968; «kleine billardschule», 1968; «thusnelda-romanzen», 1968; «fenster-texte 1955–66», 1968; «Da – eine buchstabengeschichte für kinder», 1970; «knochenspielzeug – märchen und fabeln», 1970; «gesammelte gedichte und visuelle texte», 1970; «charles baudelaire – die reise nach cythera». 10 Umdichtungen, 1971; «die frösche und andere Texte», 1971; «ophelia und die wörter / gesammelte theaterstücke 1954–71», 1972; «mann und frau», 1972; «wahnsinn – litaneien», 1974.

Jutta Schutting, Dr. phil., geboren 1937 in Amstetten/ Niederösterreich. Besuch der Graphischen Lehr- und Versuchsanstalt (Abteilung Fotografie) und Studium der Germanistik an der Universität Wien. Lebt als Mittelschullehrerin in Wien. Buchveröffentlichungen: «In der Sprache der Inseln», 1973; «Baum in O.», 1973; «Tauchübungen» (RV), 1974; «Parkmord» (RV), 1975; «Lichtungen», 1976; «Sistiana» (RV), 1977; «Steckenpferde», 1977.

Hilde Spiel, Dr. phil., geboren 1911 in Wien. Studium der Philosophie und Psychologie. 1936 Übersiedlung nach London, 1963 endgültige Rückkehr nach Wien. Arbeitet seit Kriegsende als Kulturkorrespondentin, heute für die «Frankfurter Allgemeine Zeitung». Buchveröffentlichungen: «Lisas Zimmer», 1965 (Originalausgabe: «The darkened Room», 1961); «Fanny von Arnstein oder Die Emanzipation», 1962; »Rückkehr nach Wien», 1968; «Kleine Schritte. Berichte und Geschichten», 1976; «Die zeitgenössische Literatur Österreichs» (Band IV von ‹Kindlers Literaturgeschichte der Gegenwart›), 1976.

Peter Turrini, geboren 1944 in St. Margarethen/Kärnten. Nach der Matura sieben Jahre mit verschiedenen Berufen, seither freier Schriftsteller. Buchveröffentlichungen: «Rozznjogd», 1971; «Sauschlachten», 1972; «Der tollste Tag», 1972; «Erlebnisse in der Mundhöhle», 1973. Fernsehspiele.

Hans Weigel, geboren 1908 in Wien. Lebt dort und in Maria Enzersdorf/Niederösterreich. Buchveröffentlichungen: «Der grüne Stern», 1945; «O du mein Österreich», 1956; «Flucht vor der Größe», 1960; «Lern dieses Volk der Hirten kennen», 1962; «Karl Kraus», 1968; «Vorschläge für den Weltuntergang» (RV), 1969; «Götterfunken mit Fehlzündung», 1971; «Die Leiden der jungen Wörter», 1973; «Der exakte Schwindel», 1977.

Gernot Wolfgruber, geboren 1944 in Gmünd/Niederösterreich. Nach der Hauptschule Lehrling und Hilfsarbeiter in verschiedenen Berufen, dann Programmierer. Nebenher Externistenmatura, anschließend Studium der Publizistik und Politologie. Lebt als freier Schriftsteller in Wien. Buchveröffentlichungen: «Auf freiem Fuß» (RV), 1975; «Herrenjahre» (RV), 1976.

Helmut Zenker, geboren 1949 in St. Valentin/Niederösterreich. Studium an der Pädagogischen Akademie Wien. 1971 bis 1973 provisorischer Lehrer an Haupt- und Sonderschulen. Lebt in Wien und Kössen/Tirol. Buchveröffentlichungen: «Wer hier die Fremden sind», 1973; «Kassbach», 1974; «Das Froschfest», 1976.

Inhalt

Friedrich Achleitner
Beschreibung einer Spezies   8

Ilse Aichinger
Zum Gegenstand   10

Gerhard Amanshauser
Über Nationalgefühl im allgemeinen und österreichisches
Nationalgefühl im besonderen   14

H. C. Artmann
Mein Vaterland Österreich   19

Rudolf Bayr
Nur hier und nirgends sonst   20

Alois Brandstetter
Der größte Feind des Österreichers ist der Borkenkäfer   26

Helmut Eisendle
Gedanken über den Ort meiner Sprache   29

Gustav Ernst
Wird der ORF linksradikal   32

Gunter Falk
Tu felix serve domus nube!   41

Erich Fried
Kärnten: Gedanken an Maria Saal   49

Barbara Frischmuth
Österreich – versuchsweise betrachtet   51

Gertrud Fussenegger
Sieben Notizen zum Gegenstand   55

Reinhard P. Gruber
Guggenbichler   64

Bernhard Hüttenegger
Diex   70

Franz Innerhofer
W.   73

Gert Jonke
Festansprache   80

Alfred Kolleritsch
Das Einzelne und das Allgemeine   83

Otto Kreiner
Im Fuchsloch   93

Friederike Mayröcker
ein Anheimgehen:
tief in den Saal des Präparators   98

Christine Nöstlinger
Meine Nachbarin   102

Ernst Nowak
Glücklicher Gegenstand   106

Andreas Okopenko
Österreich-Gedichte   110

Peter Rosei
Österreich   114

Gerhard Rühm
Wölkchen   118

Jutta Schutting
Ja – Nein – Ja   119

Hilde Spiel
Nur nicht die Wirklichkeit   124

Peter Turrini / Wilhelm Pevny
Der Bauer und der Millionär   127

Hans Weigel
Ein krasser Fall von Liebe   132

Gernot Wolfgruber
Die Mehrzahl   137

Helmut Zenker
Rot-weiß-rot   146

Die Autoren   149

DEUTSCHLAND,
DEUTSCHLAND
47 Schriftsteller aus der BRD und der DDR
schreiben über ihr Land

Residenz Verlag

JOCHEN JUNG (Hrsg.)

Deutschland, Deutschland

47 Schriftsteller aus der BRD
und der DDR schreiben über ihr Land

Mit Originalbeiträgen von Arnfrid Astel, Horst Bienek, Christoph Derschau, Hugo Dittberner, Ingeborg Drewitz, Adolf Endler, Elke Erb, Ludwig Fels, Fritz Rudolf Fries, Wilhelm Genazino, Jochen Gerz, Margarete Hannsmann, Ludwig Harig, Peter Härtling, Herbert Heckmann, Günter Herburger, Walter Höllerer, Karl Günther Hufnagel, Uwe Johnson, Diana Kempff, Rainer Kirsch, Ursula Krechel, Karl Krolow, Michael Krüger, August Kühn, Günter Kunert, Fitzgerald Kusz, Jürgen Lodemann, Angelika Mechtel, Oskar Pastior, Gerlind Reinshagen, Luise Rinser, Hans Sahl, Johannes Schenk, Rolf Schneider, Robert Wolfgang Schnell, Renate Schostack, Martin Stade, Klaus Staeck, Klaus Stil-ler, Jürgen Theobaldy, Dieter Wellershoff, Wolfgang Weyrauch, Gabriele Wohmann, Ror Wolf, Paul Wühr und Peter-Paul Zahl.

Vielleicht hat in diesem Jahrhundert tatsächlich kein europäisches Land soviel von sich reden gemacht wie gerade Deutschland, und wie meist, wenn Staaten von sich reden machen, war der Anlaß selten erfreulich. Heute sind es vor allem die Deutschen selbst, die über sich und ihr Land nachdenklich werden, und es schien daher naheliegend, Schriftsteller aus der Bundesrepublik und aus der DDR nach ihrem Land und ihrem Verhältnis zu ihm zu fragen. Das Ergebnis sind Geschichten und Gedichte über deutsche Erfahrungen, Zustände und Hoffnungen.

Residenz Verlag